Metatemas 21

א*

Metatemas
Colección dirigida por Jorge Wagensberg
para meditar y lucubrar en ciencia y filosofía

* Alef, símbolo de los números transfinitos de Cantor

Luis Navarro Veguillas

EINSTEIN, PROFETA Y HEREJE

Tusquets Editores

1.ª edición: mayo 1990

Diseño de la colección: Guillemot-Navares

Tusquets Editores, S.A. - Iradier, 24, bajos - 08017 Barcelona
ISBN: 84-7223-145-3
Depósito legal: B. 124-1990
Fotocomposición: Foinsa - Gran Via, 569 - 08011 Barcelona
Libergraf, S.A. - Constitución, 19 - 08014 Barcelona
Impreso en España

Indice

A mi familia

Prólogo

No pretende ser éste un libro de física al uso. Carece, entre otros elementos, de la linealidad con que los manuales ordinarios suelen exponer las ideas respecto de la evolución del pensamiento científico. Apenas incluye teorías y resultados en formas hoy vigentes. Por el contrario, en la exposición se recorren caminos harto sinuosos que no siempre acertaron a desembocar en la arteria principal que, con escaso acierto en el símil, podría simbolizar la trayectoria del progreso científico.

Para ser un libro de historia de la física adolece, más en unas partes que en otras, de falta de rigor metodológico. Las fuentes a las que se ha recurrido, esencialmente trabajos originales y correspondencia, son insuficientes para tal calificación; las fuentes institucionales apenas han sido consideradas. Posiblemente todo lo anterior provenga de una causa común: ni la estructura ni el contenido de este libro obedecen a un plan de redacción preconcebido, sino a un proceso diferente, de carácter esencialmente personal. Me explicaré.

Como profesor de mecánica cuántica me he encontrado en varios cursos ante la coyuntura de tener que explicar la llamada «versión de Copenhague» de la disciplina. Aunque sentía ciertos reparos, sin duda de naturaleza afectiva, al desarrollar exclusivamente esta versión ortodoxa, lo hacía sin experimentar grandes traumas por varias razones: lo exigía la programación establecida, se prestaba a la descripción de una larga cadena de éxitos notables y, en fin de cuentas, no existía una versión alternativa comparable. Aun así, sintiendo yo una intensa admiración por la obra global de Einstein, no lograba desprenderme de un amargo regusto final, al no gozar de ocasiones apropiadas durante el desarrollo del curso para poner de relieve lo mucho que, en mi opinión, había colaborado Einstein al advenimiento de la mecánica cuántica. Más bien al contrario, pues en no pocas ocasiones, unas por iniciativa propia y las más ante inquietudes de algunos estudiantes críticos, me veía impelido a responder a cuestiones fundamentales planteadas «a lo Einstein», en términos de rotundas contestaciones «a lo Bohr».

Con el paso del tiempo fui adquiriendo la costumbre de acudir cada vez más a los trabajos originales como fuente de información directa; las correspondencias, autobiografías, entrevistas y trabajos históricos comenzaron a sugerirme una serie de posibilidades que, finalmente, acabaron por llevarme al replanteamiento de mis propios objetivos profesionales. Hace tres años que mi interés por la naturaleza del mundo físico se transformó en interés por la evolución del pensamiento sobre el mundo físico, lo cual me permitió una mejor comprensión, pienso yo, de la actitud einsteiniana.

Me resultó fácil comprobar, por ejemplo, que las contestaciones «a lo Bohr» no siempre respondían a interrogantes «a lo Einstein», sino que con excesiva frecuencia se referían más bien a cuestiones prefabricadas sobre la base de caricaturas de lo que podríamos llamar *una mentalidad clásica.* Las verdaderas dificultades propuestas por Einstein no fueron nunca resueltas por Bohr de una forma satisfactoria para el primero. Así ¿cómo podría yo ser capaz de hacer entender a un estudiante lo que Bohr jamás llegó a hacer «comprender» a Einstein? Si la falta de entendimiento fue debida a un problema de capacidad intelectual, mis posibilidades de éxito eran prácticamente nulas (por mí y por el estudiante). Si más bien se trató de un, para muchos sorprendente, caso de incomunicación (como yo creo que sucedió), lo lógico me pareció investigar primero, y poner de manifiesto después, qué rasgos caracterizaron dicha incomunicación y cómo ésta podía hacerse compatible con la indudable potencia intelectual de los discordantes. La difusión adquirida por el pensamiento de Bohr ha sido universal a través de la mecánica cuántica. Así, mi interés se centró en la actitud del heterodoxo, y para penetrar en su mente me pareció que el camino era obvio: había que profundizar tanto como fuera posible en la evolución del pensamiento de Einstein en torno a la teoría cuántica.

Tras algunos trabajos de estudio e investigación, unos junto a S. Bergia y otros personales, llegué a una doble conclusión. Por un lado me pareció que la actitud hostil de Einstein hacia la mecánica cuántica se podía entender con más propiedad si se tenía en cuenta *toda* la aportación que, entre 1905 y 1916, realizó a la teoría cuántica y que, en general, es bastante ignorada actualmente. En este período, por ejemplo, Einstein profetizó en diferentes ocasiones el necesario advenimiento de una teoría que había de incorporar simultáneamente aspectos ondulatorios y aspectos corpusculares como características complementarias de una misma descripción. Por otra parte creí encontrar una clave (¡quizá *la clave*!) para enmarcar adecuadamente la línea según la cual se desarrolló el programa de investigación einsteiniano sobre la naturaleza del *quantum* de radiación: el papel jugado por la mecánica estadística en la evolución del pensamiento de Einstein en torno a la teoría cuántica resultó crucial y bastante diferente al que ordinariamente se le ha venido asignando. El desarrollo de todo lo cual constituye el núcleo y la razón de ser del presente libro, y es el contenido del Capítulo II.

Fue una vez decidida la publicación de estos resultados cuando comencé a pensar en los complementos más adecuados. Dada la escasísima divulgación existente de la mecánica estadística de Einstein y el papel fundamental que ésta juega en relación con la tesis apuntada en el capítulo central, me pareció el complemento ideal e imprescindible. Máxime si se tiene en cuenta, como más adelante se verá, que en 1904, precisamente por exigencias que surgieron a partir de ciertos planteamientos mecánico-estadísticos, Einstein se vio en la necesidad de cambiar el rumbo de parte de sus investigaciones y dirigirlo hacia un tema aparentemente desconectado de sus intereses anteriores: la radiación del cuerpo negro. En el mismo Capítulo I se incluye, además, la teoría de Einstein sobre el movimiento browniano, pues fue la que llevó a la definitiva instalación, en la física, de la hipótesis molecular universal, premisa básica sobre la que ha de descansar cualquier intento de fundamentación de la mecánica estadística.

Las últimas contribuciones constructivas de Einstein a la teoría cuántica, y posiblemente a la física, hay que situarlas entre 1924 y 1925, dentro del marco que hoy se conoce como estadística de Bose-Einstein. Me pareció que su análisis podía ser el colofón adecuado a un ensayo que pretendiera arrojar un poco de luz sobre la actitud de nuestro personaje hacia la mecánica cuántica. De ahí el contenido del Capítulo III. Además, pensé que podía resultar interesante, por desmitificador, poner de manifiesto una realidad histórica inobjetable: la estadística cuántica de Bose-Einstein fue formulada con anterioridad a la aparición de las primeras ideas sobre mecánica cuántica. Más aún: los trabajos de Einstein sobre gases ideales cuánticos, que volvían a sugerir explícitamente la existencia de cierta dualidad onda-corpúsculo de carácter universal, a la vez que constituyeron su última aportación cuántica, fueron un eslabón fundamental en la secuencia que, un año después, había de culminar con la aparición de la mecánica ondulatoria de Schrödinger.

Los distintos, aunque íntimamente vinculados, objetivos de los tres capítulos del libro permiten pensar en posibles lectores parciales y con formación e interés varios. El Capítulo I resulta eminentemente técnico y adecuado para conocer con cierta profundidad los fundamentos de la mecánica estadística de Einstein. El Capítulo II es depositario de una tesis de carácter histórico. Y el Capítulo III puede tomarse como un ejemplo, siempre centrado en la evolución del pensamiento de nuestro personaje, que ilustra sobre los enrevesados caminos por los que se desarrolla la ciencia. Por todo ello se ha pretendido una independencia prácticamente total entre los tres capítulos: el lector nunca es remitido imperiosamente a otros capítulos y cada uno, al final, lleva incorporadas las notas y referencias propias, a pesar de una mínima reiteración.

Pensando en los interesados en consultar los trabajos originales, he dado el mayor número de datos posibles para identificarlos, incluido el nombre completo de las revistas (y no la abreviatura con que suelen ser citadas entre profesionales), dada la dificultad real de localizar alguna de ellas. Asimismo he indicado la existencia de traducciones accesibles conocidas por mí, cuando el original estaba en alemán. En los escasísimos casos en que había posibilidad de elección (ésta nunca incluía una versión del original en nuestro idioma), he seguido este orden preferencial a la hora de citar traducciones: inglesas, francesas e italianas.

He de agradecer, finalmente, al Institut d'Estudis Catalans y a la CICYT (PS87-0046) la financiación parcial de las investigaciones que han dado lugar a la redacción de este libro.

L.N.V.
Barcelona, junio de 1989

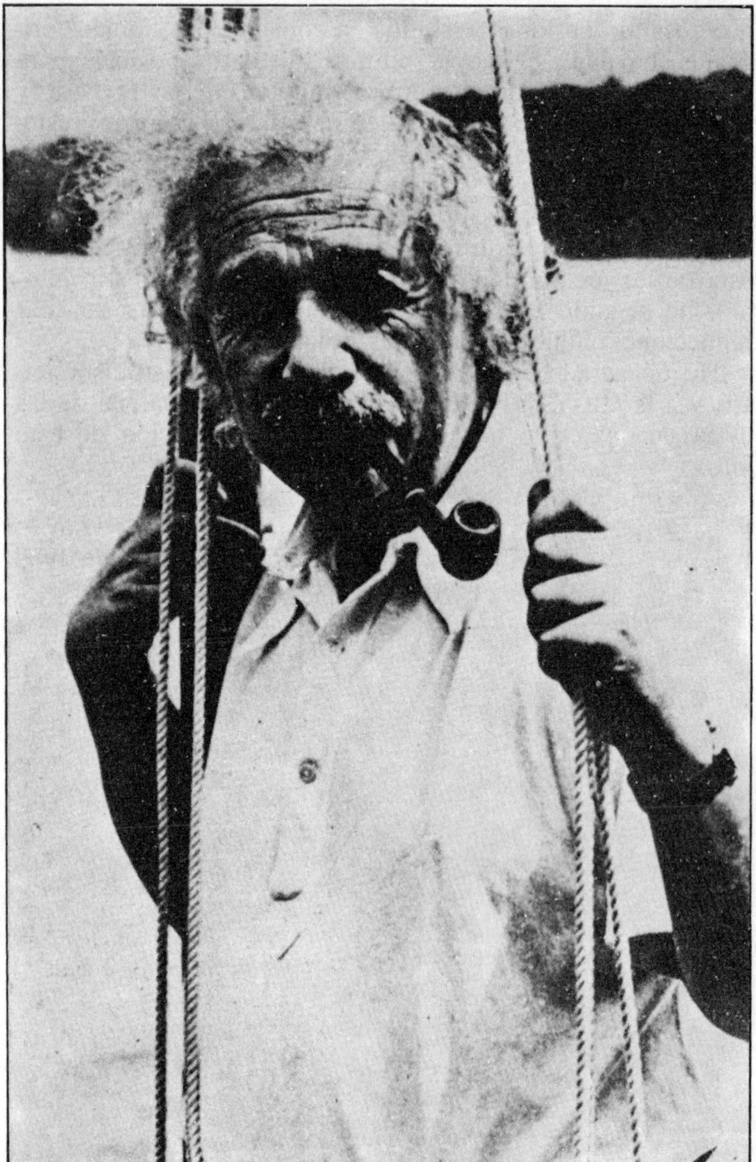

Caputh, ca. 1930.
Bettmann Archive, Nueva York.

Capítulo I

La explicación de la termodinámica y los fundamentos de la mecánica estadística (1902-1905)

«El [Einstein] vio más claramente que nadie hasta entonces la base estadística de las leyes de la física.»

BORN, 1949.[1]

1
Introducción

En la primavera de 1902 Einstein se trasladó a Berna para tomar posesión de la plaza obtenida en la Oficina de Patentes de Suiza. El 23 de junio comenzó el nuevo trabajo y el 26 del mismo mes se recibió en *Annalen der Physik* su primer artículo sobre la fundamentación de la termodinámica en términos estadísticos.[2] Se trataba de un trabajo elaborado al mismo tiempo que el joven Einstein buscaba un empleo apropiado con garantías de continuidad. Durante el período comprendido entre la finalización de sus estudios en el Politécnico de Zürich (el E.T.H.) y su establecimiento en Berna, dos años escasos, se ganó la vida como profesor de algún centro sin demasiada relevancia e impartiendo clases particulares. El artículo citado fue seguido en poco tiempo por otros dos, uno recibido el 26 de enero de 1903[3] y el último el 29 de marzo de 1904,[4] constituyendo una trilogía que ha venido siendo aceptada como una formulación propia de la mecánica estadística clásica del equilibrio, independiente aunque equivalente, a la desarrollada por Gibbs en su famoso libro de 1902.[5] Puede considerarse que este período fundacional quedó cerrado en 1905, tras publicar Einstein el resultado de sus investigaciones en torno al movimiento browniano, que demostraban teóricamente la realidad de las moléculas y la corrección de la teoría cinética molecular.[6]

La equivalencia entre las formulaciones de Einstein y Gibbs suele presentarse como obvia e incontestable y es la de este último la que usualmente se toma como genuina, relegándose la de Einstein a un segundo plano. Esta posición aparece como una constante histórica que se puede detectar, por ejemplo, consultando tres libros de texto fuertemente implantados en su época y ampliamente separados en el tiempo. Así, en 1912, cuando Einstein era sobradamente conocido por sus trabajos en relatividad y teoría cuántica, Paul y Tatiana Ehrenfest redactaron un famoso artículo para la alemana *Enciclopedia de las ciencias matemáticas* sobre «Los fundamentos conceptuales de la mecánica estadística».[7] El trabajo está estructurado en forma de treinta apartados, englobados en tres capítulos, y un apéndice; tan sólo en el apartado veinticinco, titulado «Artículos que siguen o se relacionan con el tratamiento de Gibbs», se hace una ligerísima referencia a Einstein para citar, en cuatro líneas, sus trabajos de 1902[2] y 1903[3] por el uso que en ellos se hace de la hipótesis ergódica y de las colectividades microcanónica y canónica. A continuación, dentro del mismo apartado, se citan sus trabajos sobre el movimiento browniano, pero sin relacionar a Einstein con la fundamentación de la mecánica estadística y sin mencionar su trabajo de 1904;[4] tampoco se le cita en el apartado veintiséis, que es el de las conclusiones sobre los fundamentos de la disciplina. Esta omisión de la figura de Einstein y de sus aportaciones a la mecánica estadística clásica no fue un mero olvido, pues la traducción inglesa de 1959 apareció con un prólogo adicional de Tatiana (Paul se había suicidado en 1933), que incluye omisiones de la versión original y en él tampoco se hace la menor referencia a Einstein.

Una obra tan famosa como clásica sobre la fundamentación de la mecánica estadística es la de Tolman, de 1938.[8] No consta en ella ninguna referencia a Einstein, salvo en cuanto a sus contribuciones a la teoría cuántica. El capítulo dedicado a las colectividades estadísticas, en el que se analiza la validez de la mecánica estadística (ergodicidad incluida) ignora totalmente toda aportación einsteiniana. Por tomar un último ejemplo nos referiremos al conocido texto de Pathria, edición de 1986;[9] en la introducción histórica inicial responsabiliza a Gibbs del desarrollo de la teoría de colectividades y de su empleo para el cálculo de magnitudes termodinámicas a partir de las propiedades mecánicas de los constituyentes microscópicos. La única referencia a Einstein, en dicho contexto, figura en una simple nota al pie de la página cinco, en la que en poco más de una línea se reseña la contribución einsteiniana en estos términos:

> «Einstein (1902, 1903) también desarrolló la teoría de colectividades en la línea de Gibbs, aunque de forma totalmente independiente».

No nos cabe duda de que el mismo Einstein contribuyó en buena medida a la escasa difusión alcanzada por sus aportaciones con algunos comentarios y valoraciones tempranas tanto respecto a su propia formulación como a la de Gibbs. Así, por ejemplo, en un artículo de réplica a algunas críticas concretas de Paul Hertz acerca de determinados supuestos sobre el comportamiento de la temperatura en el contacto y en la separación de sistemas en equilibrio térmico, Einstein atribuyó la causa de tales críticas a un «malentendido originado por la breve y poco cuidadosa formulación [de sus aportaciones]».[10] No hay que olvidar que se trataba de un principiante que comenzaba a realizar trabajos científicos de envergadura en una época de su vida en la que además de tratar de asentarse profesional y afectivamente, aún no había tenido tiempo de adquirir la destreza que requiere la presentación de un trabajo sobre fundamentación, ni tampoco había podido participar del beneficio que su previa discusión o presentación entre miembros de prestigio dentro de la comunidad científica le habría reportado. En el mismo artículo, unas líneas más adelante, Einstein subvalora sus aportaciones, como tendremos ocasión de justificar, hasta límites extremos al incluir como final del trabajo el párrafo siguiente:

> «En mi opinión, el camino indicado por Gibbs en su libro, consistente en operar directamente con una colectividad canónica, es preferible al propuesto por mí. Si hubiera estado familiarizado con el libro de Gibbs en esa época, es seguro que yo no hubiera pu-

blicado aquellos trabajos, y me habría limitado a tratar unos cuantos puntos».[11]

Modernamente han aparecido diferentes trabajos que pretenden poner de manifiesto la relevancia de las aportaciones einsteinianas a la mecánica estadística,[12-14] así como la influencia de estas concepciones en el desarrollo de la teoría cuántica entre 1905 y 1917.[15-17] Precisamente nuestro pensamiento, como quedará patente a lo largo de este libro, apunta en esa dirección. Si a ello añadimos el desconocimiento generalizado de las contribuciones de Einstein al desarrollo de la mecánica estadística, se comprenderá nuestra intención de resaltar las principales, en particular las que más nos parece que difieren del planteamiento de Gibbs. Este es el objetivo del presente capítulo.

No queremos finalizar esta introducción sin señalar la profunda admiración de Einstein por Gibbs. Una prueba contundente se puede encontrar en una entrevista realizada al primero en 1954. A la pregunta de quiénes eran los hombres más grandes, los más potentes pensadores que él había conocido, contestó sin el menor gesto de duda: «Lorentz». Pero añadió a continuación: «Nunca me encontré con Willard Gibbs; posiblemente, si esto hubiera sucedido, lo habría tenido que colocar junto a Lorentz».[18]

2
Teoría cinética del equilibrio térmico y del segundo principio de la termodinámica (1902)

Este es el título del trabajo anteriormente citado del año 1902,[2] el primero de la trilogía con el que Einstein pretendía resolver, según anticipaba en la introducción, el problema de la fundamentación del segundo principio de la termodinámica a partir del nivel microscópico. Vale la pena traducir textual e íntegramente dicha introducción:

> «A pesar de las grandes conquistas de la teoría cinética del calor en el dominio de la teoría de los gases, la mecánica no ha logrado aún proporcionar una base suficiente para la teoría general del calor al no haberse demostrado todavía las leyes del equilibrio térmico y el segundo principio utilizando exclusivamente las ecuaciones mecánicas y la teoría de la probabilidad, si bien las teorías de Maxwell y de Boltzmann han estado muy cerca de conseguir esa meta. El objetivo de este trabajo es rellenar ese hueco. Además proporcionaremos una extensión del segundo principio que es de importancia para las aplicaciones de la termodinámica. También deduciremos la expresión matemática de la entropía desde el punto de vista mecánico».

El primer apartado del artículo no es sino un recordatorio de la descripción de un sistema mecánico mediante el formalismo lagrangiano. Es en el segundo apartado donde se introducen los primeros conceptos mecánico-estadísticos al considerar una colección de un número N infinitamente grande de sistemas mecánicos iguales con energía continuamente distribuida entre dos valores determinados y sumamente próximos: $\bar{E}$ y $\bar{E}+\delta\bar{E}$ en la propia notación einsteiniana. Se trata de una primera consideración referente a la que, de acuerdo a la nomenclatura de Gibbs, había de ser la colectividad microcanónica. La suposición de que la energía de los sistemas considerados, a pesar de su posible complejidad, es la única magnitud mecánica que no varía en el tiempo, permite definir una función de distribución ψ mediante la igualdad

$$dN = \psi(p_1,...,q_n) \int_g dp_1...dq_n \qquad (I.1)$$

donde $(p_1,...,p_n)$ representan variables de posición, $(q_1,...,q_n)$ los correspondientes momentos, g es una región infinitamente pequeña del espacio fásico en la que la energía $E(p_1,...,q_n)$ está comprendida entre $\bar{E}$ y $\bar{E}+\delta\bar{E}$ y dN es el número de sistemas que, en un instante de tiempo dado, se encuentran en estados determinados por las variables $(p_1,...,q_n)$ y cuyos puntos asociados en el espacio de las fases están contenidos en g (inicial de *Gebiete*, «región» en alemán).

Un pequeño razonamiento, que utiliza esencialmente el contenido del teorema de Liouville, permite llegar a la conclusión de que ψ ha de ser independiente de $p_1,...,q_n$: sólo depende de la energía, con lo que se puede escribir, en lugar de (I.1), la expresión

$$dN = A \int_g dp_1...dq_n \qquad (I.2)$$

siendo A una constante (independiente de las variables p y de las q).

Por supuesto que para introducir con propiedad el concepto de temperatura partiendo de la colectividad microcanónica hay que complicar la situación: el equilibrio térmico es consustancial con el intercambio de energía entre el sistema y el *reservoir*, en tanto que el formalismo microcanónico sólo es aplicable, en principio, a sistemas aislados. Así Einstein, en el tercer apartado del trabajo, hubo de considerar sistemas complejos; cada ejemplar de la colección constaba ahora de un sistema S de energía E y variables de estado mecánico $(p_1,...,q_n)$, y otro sistema Σ, en interacción con S, con variables de estado $(\pi_1,...,\chi_n)$ y una energía H muy grande comparada con E. Suponiendo débil la interacción entre S y Σ, la energía del sistema complejo valdría $\overline{E} = E+H$ y sus variables de estado serían $(p_1,...,q_n, \pi_1,...,\chi_n)$. El número de sistemas complejos con energía comprendida entre $\overline{E}$ y $\overline{E}+\delta\overline{E}$, dentro de un cierto dominio g del espacio de las fases compatible con dicha energía, vendrá dado por

$$dN = A \int_g dp_1...d\chi_n \qquad (I.3)$$

Sin especificar otro criterio que la continuidad de A como función de la energía, Einstein eligió para aquélla la forma

$$A = A' e^{-2h\overline{E}} = A' e^{-2hE} \cdot e^{-2hH}$$

siendo h una constante de la que más adelante concretará sus características.

Es a continuación cuando Einstein formula la cuestión que le permitirá introducir la colectividad canónica a partir de la microcanónica: «¿Cuántos sistemas [del tipo S] se encuentran en estados tales que el valor de p_1 está comprendido entre p_1 y p_1+dp_1 y así hasta q_n comprendido entre q_n y q_n+dq_n, en tanto que $(\pi_1,...,\chi_n)$ toman valores arbitrarios aunque permitidos por las condiciones de nuestro sistema?».[19] Este número, lógicamente, se puede escribir en la forma:

$$dN' = A' e^{-2hE} dp_1...dq_n \int e^{-2hH} d\pi_1...d\chi_n \qquad (I.4)$$

La integral de la última expresión, que Einstein denota por $\chi(H)$, puede desarrollarse en primer orden, dada la pequeñez de E comparada con $\overline{E}$:

$$\chi(H) = \chi(\overline{E}-E) = \chi(\overline{E}) - E\,\chi'(\overline{E}) \qquad (I.5)$$

La condición necesaria y suficiente para que esta integral no dependa de E es $\chi'(\overline{E}) = 0$, lo que permite escribir

$$\chi(H) = \chi(\overline{E}) = e^{-2h\overline{E}}\, w(\overline{E}) \qquad (I.6)$$

siendo

$$w(\overline{E}) = \int d\pi_1 ... d\chi_n \qquad (I.7)$$

donde esta última integral se extiende a todos los valores de las variables compatibles con la banda de energía ($\overline{E}$, $\overline{E} + \delta\overline{E}$). La condición $\chi'(\overline{E}) = 0$ se puede escribir, teniendo en cuenta (I.6), de la forma:

$$e^{-2h\overline{E}}\, w(\overline{E}) \left[-2h + \frac{w'(\overline{E})}{w(\overline{E})} \right] = 0 \qquad (I.8)$$

lo que conduce a

$$h = \frac{1}{2} \frac{w'(\overline{E})}{w(\overline{E})} \qquad (I.9)$$

Todo lo anterior permite reescribir la expresión (I.4) así:

$$dN' = A'' \, e^{-2hE}\, dp_1 ... dq_n \qquad (I.4)'$$

donde todas las características de los sistemas de tipo S aparecen explícitamente y el resto (variables y energía de los sistemas tipo Σ) figuran englobados en A", constante independiente de E. Esta es la primera ocasión en que aparece escrita en el trabajo de forma explícita la expresión de la distribución canónica. Para completar su significado Einstein dedicó el capítulo siguiente, el cuarto, a demostrar el carácter positivo de h. La demostración es de cariz matemático y no hace sino traducir el hecho de que el hipervolumen del espacio físico es creciente con la energía.

Los tres apartados siguientes están dedicados al estudio del papel representado por h en el equilibrio térmico, comenzando por escribir probabilidades y escoger la normalización a la unidad para los sistemas S, a los que Einstein decidió llamar «termómetros»:

$$\begin{aligned} dW &= A\, e^{-2hE}\, dp_1 \ldots dq_n \\ 1 &= A \int e^{-2hE}\, dp_1 \ldots dq_n \end{aligned} \qquad (I.10)$$

La función h, a la que denominó «función temperatura», depende únicamente del sistema Σ, por lo que si dos termómetros S y S' están en equilibrio térmico con el mismo sistema Σ, ambos exhibirán la misma h. La temperatura usual, como el resto de los observables de S, dependerá de h y el equilibrio térmico entre dos sistemas sólo es posible si las respectivas funciones temperatura (y, por tanto, las temperaturas) son iguales. Dos sistemas mecánicos con débil interacción que les lleva al equilibrio mantienen temperaturas iguales si luego se les separa. Y recíprocamente: dos sistemas con la misma temperatura pueden quedar conectados sin que ocurran cambios apreciables en las distribuciones de sus estados. Todo ello permitió a Einstein concluir que

> «La igualdad de la magnitud h es la condición necesaria y suficiente para la ligadura estacionaria (equilibrio térmico) entre dos sistemas. De aquí se desprende inmediatamente: si los sistemas Σ_1 y Σ_2, y los sistemas Σ_1 y Σ_3 están en equilibrio térmico, también lo están Σ_2 y Σ_3».[20]

Fue en este momento cuando Einstein recalcó que los sistemas mecánicos, a los que continuamente se estaba refiriendo, han de satisfacer el teorema de Liouville y el principio de conservación de la energía mecánica, pues ambos habían sido utilizados en el desarrollo. Otros sistemas más generales quedaban explícitamente fuera del tratamiento.

Profundizar en el significado mecánico de la temperatura era el objetivo confesado del apartado siguiente, el sexto, donde en el mismo título se incluye una referencia bastante genérica a los trabajos de Boltzmann sobre teoría de gases;[21] por cierto, la única referencia que figura en el texto. Manteniendo la notación de «fuerza viva» (*lebendige Kraft*) para la energía cinética L, Einstein consideró el caso en que ésta es función cuadrática homogénea de las variables q_i que, transformadas linealmente en variables r_i (los «momentoides» de Boltzmann), permiten escribir

$$L = \frac{1}{2} (\alpha_1 r_1^2 + \alpha_2 r_2^2 + ... + \alpha_n r_n^2) \tag{I.11}$$

y

$$\int dq_1 ... dq_n = \int dr_1 ... dr_n \tag{I.12}$$

El valor medio de la fuerza viva correspondiente a cada momentoide de un sistema en equilibrio térmico con otro de energía mucho mayor toma la forma

$$\frac{\int A'' e^{-2h[V + \frac{\alpha_1 r_1^2 + \alpha_2 r_2^2 + ... + \alpha_n r_n^2}{2}]} \frac{\alpha_\nu r_\nu^2}{2} dp_1 ... dp_n dr_1 ... dr_n}{\int A'' e^{-2h[V + \frac{\alpha_1 r_1^2 + \alpha_2 r_2^2 + ... + \alpha_n r_n^2}{2}]} dp_1 ... dp_n dr_1 ... dr_n} = \frac{1}{4h} \tag{I.13}$$

Como todos los momentoides (I.13) contribuyen igualmente al valor de la fuerza viva L, resulta

$$\frac{1}{4h} = \frac{L}{n} \tag{I.14}$$

Aunque no se diga expresamente, la L de la expresión (I.11) no es exactamente la misma que la de la expresión (I.14). Tal y como se ha efectuado el cálculo, esta última es en realidad el valor medio de la fuerza viva, pues L experimenta fluctuaciones en virtud de la interacción entre el sistema S y el Σ.

Para acabar de relacionar la función temperatura con la temperatura absoluta, Einstein consideró el caso especial del gas ideal. El sistema S de la teoría precedente (el «termómetro») lo puede constituir una molécula determinada del gas, y el resto puede ser identificado con el sistema Σ. La primera expresión de (I.10) aplicada a este caso permite deducir la distribución de Maxwell. Por otra parte, como a cada molécula le corresponden tres momentoides, la igualdad (I.14) conduce a

$$L = \frac{3}{4h} \qquad (I.15)$$

para la fuerza viva media de una molécula. Por otra parte, la teoría cinética de los gases había establecido la proporcionalidad entre la fuerza viva y la presión, a volumen constante, y también entre ésta y la temperatura absoluta, con lo que se podía escribir

$$\frac{1}{4h} = \kappa T = \frac{1}{2} \frac{w(\bar{E})}{w'(\bar{E})} \qquad (I.16)$$

siendo κ una constante universal (la mitad de la que posteriormente se había de llamar constante de Boltzmann) y w la función introducida mediante la expresión (I.7).

El apartado siguiente fue dedicado a la por entonces ambiciosísima meta de deducir el segundo principio de la termodinámica como consecuencia de las leyes de la mecánica. Einstein partió de un sistema mecánico S con coordenadas $p_1,...,p_n$ y derivadas temporales de éstas denotadas por $p'_1,...,p'_n$. Designó mediante $P_1,...,P_n$ a las fuerzas exteriores, de modo que si V_i representa la energía potencial del sistema y L su fuerza viva (función cuadrática homogénea de las p'_ν), las ecuaciones de Lagrange para un sistema tal adoptan la forma

$$\frac{\partial(V_i - L)}{\partial p_\nu} + \frac{d}{dt}\left[\frac{\partial L}{\partial p'_\nu}\right] - P_\nu = O, \qquad (\nu = 1,...,n) \quad (I.17)$$

Las fuerzas exteriores pueden agruparse en dos tipos esencialmente diferentes. Unas, $P_\nu^{(1)}$, asociadas a las condiciones propias del sistema (paredes adiabáticas, fuerzas gravitatorias, etc.) y otras, $P_\nu^{(2)} = \Pi_\nu$, responsables del intercambio de calor. Estas no derivan de un potencial. Sí, en cambio, las $P_\nu^{(1)}$:

$$P_\nu^{(1)} = \frac{\partial V_a(p_1,...,p_n)}{\partial p_\nu}, \qquad (\nu = 1,...,n) \qquad (I.18)$$

La posible dependencia temporal explícita en V_a se supone tal que las derivadas parciales de $P_\nu^{(1)}$ respecto al tiempo sean infinitamente pequeñas. Todo ello en virtud del carácter estacionario de los procesos considerados.

Escribiendo $V_a + V_i = V$, las ecuaciones de Lagrange (I.17) quedan así:

$$\Pi_\nu = \frac{\partial(V-L)}{\partial p_\nu} + \frac{d}{dt}\left[\frac{\partial L}{\partial p'_\nu}\right], \qquad (\nu = 1,...,n) \qquad \text{(I.19)}$$

El trabajo efectuado sobre el sistema por las fuerzas Π_ν, en el tiempo dt, representa la cantidad de calor dQ recibida por el sistema S en dt:

$$dQ = \sum_{\nu=1}^{n} \Pi_\nu \, dp_\nu \qquad \text{(I.20)}$$

Esta expresión, junto con las (I.16) y (I.19), permite llegar a

$$\frac{dQ}{T} = n\kappa \, \frac{dL}{L} + 4\kappa h \sum_{\nu=1}^{n} \frac{\partial V}{\partial p_\nu} \, dp_\nu \qquad \text{(I.21)}$$

Einstein pasó, a continuación, a ocuparse de la sumatoria que figura en el segundo término de la expresión anterior. Representa el incremento de la energía potencial del sistema en el tiempo dt, si V no depende explícitamente del tiempo. El elemento dt ha de ser lo suficientemente grande como para que cada suma del tipo indicado se pueda sustituir por su promedio sobre una infinitud de sistemas S con la misma temperatura, y lo suficientemente pequeño como para que no sea apreciable la variación explícita de V y h. Redefiniendo potenciales y energías, a los que a partir de entonces se denominó V* y E* respectivamente, de forma que A valga la unidad y sustituyendo en (I.21) la sumatoria por el valor medio indicado (y tras un cálculo no excesivamente claro como parece confirmar el hecho de que Einstein lo modifique en el trabajo siguiente, como veremos) se llega a la expresión:

$$\frac{dQ}{T} = \delta\left(\frac{E^*}{T}\right)$$

donde con el símbolo δ se representa la variación total producida en el proceso y se reserva la d para la variación temporal. La conclusión final es doble: «$\frac{dQ}{T}$ es una diferencial exacta» y «$\frac{E^*}{T}$ es la expresión de la entropía del sistema, salvo una constante arbitraria». Para Einstein ello significaba la deducción del segundo principio de la termodinámica, objetivo esencial del trabajo, que «aparece como consecuencia necesaria de la imagen mecánica del universo».[22]

Un corto apartado del trabajo, el noveno y antepenúltimo, está dedicado al cálculo de la entropía. Aparentemente ésta ya había sido calculada en el apartado anterior, pero no es del todo cierto pues, aun manteniendo la arbitrariedad en la constante involucrada en (I.22), se necesita determinar E^* a partir de E, que es la magnitud física supuestamente conocida.

Si $E^* = E + E_o$, E_o puede calcularse a partir de

$$\int e^{-2h(E+E_0)}\, dp_1 ... dq_n = N \qquad (I.23)$$

lo que conduce a la expresión final de la entropía:

$$\varepsilon = \frac{E^*}{T} = \frac{E}{T} + 2\kappa \log \left[\int e^{-2hE}\, dp_1 ... dq_n \right] + \text{cte.} \qquad (I.24)$$

Resulta así que la entropía depende sólo de E y T, y no del desglose de la energía en términos potenciales y cinéticos. Einstein consideró que:

> «Este hecho [la dependencia de la entropía en E y T únicamente] permite suponer que nuestros resultados son más generales que la descripción mecánica que hemos utilizado, sobre todo teniendo en cuenta que la expresión encontrada para h [ver (I.9)] exhibe la misma propiedad».[23]

El título del breve apartado final (diez líneas dedicadas a la «Extensión del segundo principio») es posible que sugiera bastante más de lo que allí se encuentra y de lo que se anticipaba en la introducción. Einstein remató su trabajo con la siguiente consideración:

«Sobre la naturaleza de las fuerzas correspondientes al potencial V_a no se necesita ninguna suposición, ni siquiera la de que dichas fuerzas existen en la naturaleza. La teoría mecánica del calor exige que se pueda llegar a resultados correctos al aplicar el principio de Carnot a procesos ideales, los cuales pueden ser generados a partir de los observados mediante la introducción del V_a arbitrario. Naturalmente, los resultados obtenidos a partir de la consideración teórica de dichos procesos sólo tienen significado real cuando las fuerzas ideales auxiliares [que derivan de] V_a no aparecen en ellos».[24]

Es decir, la aplicabilidad del segundo principio de la termodinámica a sistemas cuyas condiciones físicas no sean fácilmente asequibles, está garantizada con independencia de la viabilidad de una descripción mecánica realista.

3
Una teoría sobre los fundamentos de la termodinámica (1903)

Este es el título del segundo artículo de Einstein sobre mecánica estadística.[3] Se recibió en la revista *Annalen der Physik* el 26 de enero de 1903, siete meses después del primero[2] de la ya citada trilogía. La valoración que el propio Einstein hizo de este trabajo, así como la confirmación de su asentamiento físico y afectivo tras su instalación en la Oficina de Patentes de Suiza, pensamos que aparecen claramente expuestas en una carta dirigida a su amigo Michele Besso, fechada en Berna un jueves (no consta cuál) de enero de 1903:

> «Muchas gracias por tu gentil carta. Ahora soy un hombre casado y disfruto con mi mujer de una vida sumamente agradable. Ella se ocupa perfectamente de todo, es una buena cocinera y siempre está alegre... El lunes envié por fin mi trabajo, tras muchas modificaciones y correcciones. Ahora todo queda claro y simple, así que estoy totalmente satisfecho. Partiendo del principio [de conservación] de la energía y de la teoría atómica se llega a los conceptos de temperatura y entropía, y utilizando la hipótesis de que las distribuciones de estados en los sistemas aislados no se transforman jamás en las distribuciones menos probables, se obtiene el segundo principio fundamental [de la termodinámica] en su forma más general, como es la imposibilidad de un *perpetuum mobile* de segunda especie».[25]

En la introducción, Einstein precisaba los objetivos del trabajo así como su relación con el de 1902.[2] En éste había llegado a «las leyes del equilibrio térmico y al concepto de entropía con ayuda de la teoría cinética del calor», mientras que el nuevo artículo estaba destinado a demostrar que es posible prescindir de la teoría cinética y lograr los mismos resultados utilizando «consideraciones de tipo más general».[26] Estas consideraciones más generales incluían hipótesis adicionales a las de naturaleza mecánica, al tiempo que daban pleno sentido a la descripción probabilística de sistemas, al cálculo de promedios y a la identificación de éstos con los resultados de las medidas de magnitudes físicas. En pocas palabras, estas «consideraciones de tipo más general» son las bases sobre las que se asienta la mecánica estadística clásica del equilibrio.

El primer apartado aparece dedicado a la descripción mecánica de sistemas aislados con un gran número de variables de estado; con un gran número de grados de libertad, diríamos hoy. Todas estas variables se denotan mediante p_1, p_2, ..., p_n (Einstein simplificó la notación respecto al primer trabajo eliminando las q_n) y su evolución en el tiempo se rige, naturalmente, por las ecuaciones mecánicas del movimiento. Sin ningún tipo de justificación previa, Einstein supuso que no existe otra constante de movimiento que la energía, para el tipo de sistemas que consideraba.

Fue en el segundo apartado donde, tras introducir los estados estacionarios (de equilibrio en una notación actual), se establecían hipótesis y métodos claves para una formulación mecánico-estadística de los problemas. Los estados estacionarios son aquellos a los que se acaba por llegar cuando, de acuerdo a la experiencia, evoluciona un sistema aislado: en tales estados las propiedades físicas observables del sistema no varían con el tiempo. Sobre estas propiedades Einstein afirmaba:

> «Supondremos que una magnitud observable siempre está determinada por un promedio temporal de cierta función de las variables de estado $p_1...p_n$, y que

estas variables $p_1...p_n$ siempre vuelven a tomar los mismos valores con la misma frecuencia, de forma que a partir de esta condición, que nosotros proponemos como hipótesis, se sigue necesariamente la constancia de los valores medios de todas las funciones de $p_1...p_n$; y por lo anterior también la constancia de toda magnitud observable».[27]

Este párrafo es crucial en cuanto a la fundamentación de la mecánica estadística se refiere, pues introduce en forma rudimentaria la hipótesis ergódica, el cálculo de promedios y la constancia de éstos en el tiempo. Vale la pena analizar con un poco más de profundidad estos temas, lo que vamos a hacer siguiendo el hilo del trabajo. No obstante, conviene señalar que tanto Boltzmann como Maxwell habían formulado hipótesis de corte análogo al de la ergodicidad einsteiniana aunque no totalmente equivalentes a ésta. Así Boltzmann, en 1871, extrapolando los resultados de su análisis de las figuras de Lissajous correspondientes a pares de frecuencias inconmensurables, había formulado la siguiente hipótesis sobre un sistema de partículas de gas:

«La gran irregularidad del movimiento térmico, y la multiplicidad de fuerzas que actúan sobre el cuerpo desde el exterior, hacen probable que los propios átomos, en virtud del movimiento que llamamos calor, pasen a través de todas las posibles posiciones y velocidades compatibles con la ecuación de la energía cinética...».[28]

En 1879 Maxwell precisó:

«La única suposición que es necesaria para la prueba directa del principio de equipartición es que el sistema, abandonado a sí mismo en su estado presente de movimiento, pasará, tarde o temprano, a través de cualquier fase compatible con la ecuación de la energía».[29]

Sin pretender un análisis detallado de la evolución de las ideas en torno a la ergodicidad y su relación con la fundamentación de la mecánica estadística (el interesado en ello puede consultar, por ejemplo, la referencia 30), sí convendría dejar constancia de que ni Boltzmann ni Maxwell, contra lo que frecuentemente se afirma, creían que la ergodicidad enunciada por ellos fuese una propiedad garantizada por las leyes de la mecánica. Nada más clarificador que las palabras del propio Maxwell:

> «Si suponemos, en cambio, que las partículas materiales encontrarán finalmente un obstáculo fijo, como las paredes del recipiente que las contiene, entonces, excepto para formas especiales de la superficie de dicho obstáculo, cada encuentro introducirá una perturbación en el movimiento del sistema, de tal forma que pasará de una trayectoria no perturbada a otra (conservación de la energía pero no del momento en tales colisiones). Es difícil, en un caso de tan extrema complejidad, llegar a una conclusión completamente satisfactoria pero, con considerable grado de confianza, podemos afirmar que, excepto para formas particulares de la superficie del obstáculo fijo, el sistema pasará, tarde o temprano, tras un número suficiente de encuentros, por cada fase compatible con la ecuación de la energía».[31]

Queda claro, pues, que la validez de estas hipótesis incipientes no está garantizada, ni siquiera para sus introductores, por las leyes del movimiento mecánico. Pero es que la misma noción de ergodicidad no es uniforme, pues mientras para Boltzmann parece que una sola trayectoria pasa a través de todas las fases compatibles, Maxwell entiende que es necesario el incesante cambio de trayectoria para alcanzar el mismo objetivo. Einstein introdujo una ergodicidad análoga a las anteriores. En este sentido la innovación fue escasa aunque, y esto se precisará más adelante, la hipótesis ergódica einsteiniana se amplía a un conjunto arbitrario de trayectorias independientes.

Veamos las consecuencias que de la hipótesis ergódica Einstein obtuvo en su trabajo. Supóngase que son conocidos los valores de $p_1,...,p_n$ en un cierto intervalo de tiempo T y sea Γ una región arbitraria del espacio de las variables de estado en el cual el sistema «permanece» durante un cierto tiempo τ. «El cociente τ/T para $T = \infty$ tendrá un valor determinado para cada región Γ, valor que será infinitamente pequeño para regiones infinitamente pequeñas».[32]

El razonamiento anterior fue el punto de partida para Einstein a la hora de introducir la descripción probabilística. Tras considerar un gran número N de sistemas independientes, pero gobernados por las mismas ecuaciones de movimiento, se planteó la siguiente cuestión: ¿cuál es la probabilidad de que uno de estos sistemas, elegido al azar en un instante t, tenga contenidas sus variables de estado en la región Γ? Su contestación fue que tal valor habría de venir dado por

$$\lim_{T=\infty} \frac{\tau}{T} = \text{cte.}$$

Por tanto el número de sistemas cuyas variables están en Γ vendrá dado por

$$N \lim_{T=\infty} \frac{\tau}{T}$$

expresión que, por supuesto, no depende del instante t arbitrariamente elegido. Ello permite concluir que el número de sistemas cuyas variables de estado se encuentran, en un instante cualquiera, en el interior de una región infinitesimal g alrededor del punto $p_1,...,p_n$ vendrá dado por

$$dN = \varepsilon(p_1,...,p_n) \int_g dp_1...dp_n \qquad \text{(I.25)}$$

El carácter estacionario de la distribución de estados representada por (I.25) y una transformación adecuada de las variables de estado $p_1,...,p_n$ en las $\pi_1,...,\pi_n$, permitieron que Einstein escribiera la expresión anterior en la forma

$$dN = cte. \int_g d\pi_1 ... d\pi_n \qquad (I.26)$$

Así, la hipótesis ergódica quedaba traducida en una equiprobabilidad de todos los puntos del espacio de las variables de estado compatibles con la energía, a la hora de representar al sistema mecánico. En un lenguaje más acorde con el actual se podría decir que en un sistema mecánico dado, pero con condiciones iniciales desconocidas, todas las compatibles con la energía del sistema son condiciones iniciales igualmente probables. Este es el principio sobre el que se basa la distribución microcanónica expresada mediante (I.26). Esta expresión ya había sido escrita en el trabajo anterior [ver (I.2)], pero allí prácticamente había sido postulada, en tanto que ahora ha sido deducida sobre la base de una hipótesis de enunciado claro y preciso, la hipótesis ergódica, que es la que Einstein utilizó para dar solidez a la descripción probabilística de sistemas aislados.

Fue en el tercer apartado del trabajo en el que Einstein volvió a ocuparse de la «distribución de estados de un sistema en contacto con otro de energía relativa infinitamente mayor», si bien utilizó una notación diferente a la empleada en 1902. Cada uno de los N sistemas aislados, con energía E comprendida entre E* y E*+δE*, estaba integrado por dos subsistemas, Σ y σ, con energías respectivas H y η, y variables de estado $\Pi_1,...,\Pi_\lambda$ para los sistemas Σ, y $\pi_1,...,\pi_l$ para los σ. Se suponía despreciable la energía de interacción entre los dos subsistemas, por lo que resultaba $E = H + \eta$. También se consideraba que uno de ellos, los del tipo σ (los termómetros de 1902), tenían una energía η infinitamente pequeña comparada con H.

Un punto esencial es el de la forma exponencial de la distribución de estados asociada a los termómetros. Pero en 1903 no se ofrecía novedad apreciable respecto a 1902. En ambos casos se adoptaba la exponencial sin una explicación del criterio empleado. También se volvía a obtener la expresión (I.9) pero, en cambio, la relación (I.16) entre la función h y la temperatura absoluta T que en 1902 había sido justificada sobre la base de la teoría cinética de los gases, ahora era introducida como definición de temperatura absoluta, liberando así a la formulación einsteiniana de toda dependencia de la teoría cinética, disciplina precursora de la mecánica estadística pero distinta e independiente de ésta. En palabras de Einstein:

> «El estado del sistema σ depende, por tanto, exclusivamente de la magnitud h, y ésta únicamente del estado del sistema Σ. Llamamos temperatura absoluta del sistema Σ a la magnitud $1/4h\kappa = T$, donde κ representa una constante universal».[33]

Esta definición no es gratuita. Einstein la aplicó al caso en que el subsistema σ lo constituye una molécula de gas ideal y el resto del gas lo identificó con Σ. Por comparación con la teoría cinética dedujo que la definición de temperatura absoluta es coherente con los resultados de aquella teoría. Es decir, éste no forma parte del método sino que se emplea para contrastar la nueva formulación. Por supuesto, la función h adquiere en el equilibrio el mismo valor en cada subsistema y las reglas del equilibrio térmico pueden reproducirse sin dificultad en la línea del trabajo de 1902.

Hay que insistir en que el trabajo de 1903 seguía prácticamente al pie de la letra la metodología expuesta en el de 1902, si bien en el nuevo se matizaban las hipótesis y se rigorizaban los procedimientos. En esta línea Einstein volvió a abordar el tema de la deducción del segundo principio de la termodinámica comenzando por dotar al concepto de entropía de una mayor precisión.

A tal fin Einstein introdujo los procesos que él denominó «infinitamente lentos». Son aquellos en los que «la distribución de estados, en cualquier instante, difiere infinitamente poco de la distribución estacionaria».[34]

En un proceso general conviene considerar ciertos parámetros adicionales λ_i que caracterizan la interacción del sistema con agentes externos susceptibles de modificar el valor de la energía. La variación total de ésta en un proceso infinitamente lento que ocurra en un intervalo de tiempo dt, vendrá dada por

$$dE = \Sigma \frac{\partial E}{\partial \lambda_i} d\lambda_i + \Sigma \frac{\partial E}{\partial p_\nu} dp_\nu \qquad (I.27)$$

(A partir de aquí Einstein utilizó la notación E y $p_1,...,p_n$ para expresar la energía y las variables del sistema considerado, un «termómetro».) En los procesos adiabáticos el segundo sumando de (I.27) es nulo y Einstein llamó procesos «isopícnicos» a aquellos en los que todos los parámetros λ_i permanecen constantes, con lo que el primer sumando de la última expresión valdrá cero para este tipo de evolución. El valor de dE en un proceso isopícnico, razonó Einstein, ha de identificarse con el calor absorbido durante dt, de modo que para todo proceso infinitamente lento se puede escribir

$$dE = \Sigma \frac{\partial E}{\partial \lambda_i} d\lambda_i + dQ \qquad (I.28)$$

Si el sistema considerado se ha mantenido, durante todo el proceso infinitamente lento, en contacto con un sistema de enorme energía en comparación con el nuestro, la distribución de estados será permanentemente la dada por (I.10), es decir

$$dW = \text{cte. } e^{-2hE} dp_1...dp_n = e^{c-2hE} dp_1...dp_n \qquad (I.29)$$

La normalización contenida en (I.10) permite determinar sin problemas el valor de la constante c a partir de

$$\int e^{c-2hE} dp_1...dp_n = 1 \qquad (I.30)$$

Un razonamiento basado en la comparación de la situación anterior y posterior al proceso considerado, y un cálculo en el que se empleaban las expresiones (I.16), (I.28) y (I.30), permitió a Einstein obtener la expresión

$$\frac{dQ}{T} = d\left[\frac{E}{T} - 2\kappa c\right] = dS \qquad (I.31)$$

Así demostró, como también lo había hecho en 1902, que «$\frac{dQ}{T}$ es la diferencial total de una magnitud, a la que denominamos entropía S del sistema».[35] La igualdad (I.30) permite escribir:

$$S = \frac{E}{T} + 2\kappa \log \int e^{-2hE}\, dp_1 ... dp_n \qquad (I.32)$$

donde la integración se extiende a todos los valores de las variables del sistema.

El resto del trabajo lo dedicó Einstein a demostrar la imposibilidad del móvil perpetuo de segunda especie, partiendo de la explicación que de la entropía había obtenido en términos puramente mecánicos. Era ciertamente lo que faltaba para cubrir los objetivos señalados a Besso en la carta a la que nos hemos referido al principio de este apartado.[25] Pero, como Einstein anticipaba en la introducción del trabajo,[26] tuvo que introducir una hipótesis adicional (las «consideraciones de tipo más general» a las que se refería) con la finalidad de evitar el recurso a la teoría cinética. Veamos en síntesis el problema y la solución propuesta.

Considérese un número muy grande N de sistemas aislados, todos ellos descritos por las mismas ecuaciones mecánicas, y con la misma energía salvo cantidades infinitamente pequeñas. La distribución estacionaria de estados vendrá dada por (I.2). Ello implica que, si se subdivide la región correspondiente a las variables de estado del sistema en recintos $g_1, g_2, ..., g_l$ del mismo «volumen», y se representan por W_1, $W_2, ..., W_l$ las probabilidades respectivas asociadas, se cumple

$$W_1 = W_2 = ... = W_l = \frac{1}{l} \qquad (I.33)$$

La probabilidad de que de los N sistemas considerados, en un instante cualquiera, ε_1 correspondan a g_1, ε_2 a g_2, etc., será

$$W = \left(\frac{1}{1}\right)^N \frac{N!}{\varepsilon_1!\,\varepsilon_2!\ldots\varepsilon_l!} \tag{I.34}$$

Como ε_1, ε_2,..., ε_l son números muy grandes se puede escribir (aproximando mediante la fórmula de Stirling)

$$\log W = \text{cte.} - \sum_{\varepsilon=\varepsilon_1}^{\varepsilon=\varepsilon_l} \varepsilon \log \varepsilon \tag{I.35}$$

Finalmente, si l se toma suficientemente grande, es posible sustituir la sumatoria de (I.35) por una integral sin introducir errores apreciables:

$$\log W = \text{cte.} - \int \varepsilon \log \varepsilon \, dp_1 \ldots dp_n \tag{I.36}$$

En esta última expresión ε viene dado por la función de distribución de las variables de estado. Al considerar sistemas aislados, la distribución adecuada es la correspondiente a la microcanónica, según la nomenclatura de Gibbs,[36] en la cual ε es constante (no depende de las variables del sistema) y log W, en afirmación de Einstein, alcanza su máximo valor. Si ε dependiera de p_1,...,p_n, log W no presentaría ningún extremo.

Este es el momento en que Einstein introdujo explícitamente la hipótesis adicional a la que nos hemos referido: la distribución de estados, y también W, variarán con el tiempo continuamente de forma que «las distribuciones de estados más probables siempre siguen a las menos probables, es decir que W siempre aumenta hasta que la distribución de estados es constante y W alcanza un máximo».[37] Es decir, si ε y ε' se asocian a distribuciones en t y en t' respectivamente (suponiendo t' > t) se ha de verificar que

$$-\log \varepsilon' \geqslant -\log \varepsilon$$

Esta expresión representa una forma de irreversibilidad descrita en términos microscópicos, uno de los objetivos esenciales del trabajo, y también una gran novedad respecto al de 1902,[2] pues en aquel no se hacía referencia a la tendencia de los sistemas complejos aislados al equilibrio, sino que se suponía que éste era el estado en que se encontraban los sistemas tratados.

Por supuesto que el contenido de (I.37) es análogo al del llamado teorema H de Boltzmann, deducido sobre la base de razonamientos y métodos de la teoría cinética. Pero no creemos que ello implique demérito alguno para la presentación einsteiniana, contra lo que pudiera pensarse a primera vista. No estamos de acuerdo con que «el propósito de Einstein de eliminar la teoría cinética en la deducción de los principios de la termodinámica no fue conseguido del todo»,[38] ni con que la suposición einsteiniana «no resultó adecuada como base para comprender el "puzzle" de la irreversibilidad».[39] Más bien pensamos que tal hipótesis es la que hace posible describir microscópicamente (o mecánicamente) las situaciones de equilibrio; no tendría sentido en mecánica estadística tratar el equilibrio (ni la temperatura, ni el intercambio de calor, etc.) sin dar la oportuna descripción microscópica. Naturalmente tales descripciones pueden dar lugar a la recuperación de resultados obtenidos por otra vía sin que ello vaya en detrimento de la mecánica estadística, de Einstein en este caso. La descripción microscópica de la temperatura en una situación de equilibrio térmico implica inmediatamente la validez del principio cero de la termodinámica sin que ello suponga la utilización, en mecánica estadística, de resultados propios de la termodinámica. De igual forma la descripción microscópica del equilibrio como el estado de máxima probabilidad permite hacer compatible la evolución irreversible de magnitudes características del sistema macroscópico (el log W) con la reversibilidad temporal característica de la evolución de sus moléculas.

Queremos resaltar, incidentalmente, que esta descripción que introdujo Einstein del equilibrio sobre la base de la hipótesis de que «estados más probables siempre siguen a otros menos probables» nos parece totalmente equivalente desde un punto de vista metodológico a la que hoy suele presentarse en los libros de texto usuales de mecánica estadística, si bien en éstos la hipótesis figura implícita en la definición de equilibrio, que se justifica de forma variada sin recurrir en absoluto a la teoría cinética.[40, 41]

El octavo y penúltimo apartado del trabajo fue dedicado a la deducción de una importante propiedad de la entropía definida en (I.31). La aplicación de los resultados encontrados anteriormente a un caso concreto, el de un sistema aislado constituido por subsistemas en interacción adiabática, permitió a Einstein llegar a la siguiente conclusión: «La suma de las entropías de los subsistemas de un sistema aislado, después de cualquier proceso, es igual o mayor que la suma de las entropías de los subsistemas antes del proceso».[42]

Finalmente, en el último apartado, Einstein logró presentar una demostración del segundo principio de la termodinámica en la línea anunciada en su carta a Besso.[25] A tal fin consideró un sistema global aislado compuesto de un *reservoir* de calor W (textualmente *Wärmereservoir*), una máquina M con energía infinitamente más pequeña que la de W, y un conjunto de subsistemas Σ_1, Σ_2,... con energía individual también infinitamente mayor que la de la máquina. La totalidad de los subsistemas W, M, Σ_1, Σ_2,... se suponían en estado estacionario y con posibles interacciones adiabáticas entre M y los Σ_1, Σ_2,...

Si la máquina M sufre un proceso cíclico arbitrario, las distribuciones de los estados de Σ_1, Σ_2,... variarán con infinita lentitud en virtud de la interacción adiabática. Así, durante el proceso la máquina produce trabajo y absorbe una cantidad de calor Q. El cálculo de la variación de entropía de cada subsistema en el proceso considerado es sencillo. La variación de la del *reservoir* vendrá dada por $-Q/T$, en virtud de (I.31). La entropía de la máquina no varía por tratarse de un proceso cíclico, como tampoco la de Σ_1, Σ_2,... al sufrir estos subsistemas evoluciones adiabáticas infinitamente lentas. Por todo ello la variación de entropía del sistema global será

$$S' - S = -\frac{Q}{T} \qquad \text{(I.38)}$$

Dado que en el apartado anterior Einstein había demostrado que $S' \geqslant S$, en éste llegó a la conclusión de que

$$Q \leqslant O \tag{I.39}$$

«Esta relación expresa la imposibilidad de existencia del móvil perpetuo de segunda especie»,[43] es la frase con que Einstein dio por terminado el trabajo de 1903, pues la contradicción implicada por (I.39) impide la posible existencia de procesos como el supuesto, en el que la máquina *únicamente* extrae calor del *reservoir* y lo transforma íntegramente en trabajo.

4
Sobre la teoría molecular general del calor (1904)

Con este título concluyó Einstein en 1904[4] su trilogía sobre la fundamentación de la mecánica estadística. «A continuación presentaré algunos complementos a un artículo publicado por mí el año pasado»,[44] puede leerse en las dos primeras líneas. Se trata de una clarísima anticipación de los objetivos del trabajo dedicado totalmente a una clarificación de algunos puntos tratados en el de 1903.[3] Los «complementos» que presenta son cinco, cada uno en un apartado. Concretamente Einstein se refirió a:

1. la deducción de la expresión de Boltzmann para la entropía,
2. la demostración (¡por tercera vez!) del segundo principio de la termodinámica,
3. el análisis del significado de la constante κ en el marco de la teoría cinética,
4. el análisis del significado de la constante κ por su relevancia para las fluctuaciones, y
5. la propuesta de la radiación del cuerpo negro como sistema adecuado para desarrollar el análisis del punto anterior.

No nos parece que el tratamiento de los puntos señalados represente una aportación importante en lo que a la fundamentación de la mecánica estadística se refiere. Por el contrario, como tendremos ocasión de poner de manifiesto más adelante, los tres últimos son sumamente interesantes para un estudio de carácter histórico sobre la evolución del pensamiento de Einstein acerca de la teoría cuántica de la radiación en el período de tiempo comprendido entre 1905 y 1916. Dado que ése es el objetivo esencial del capítulo siguiente de nuestro libro, resulta imprescindible dedicar una especial atención a este trabajo de 1904.

Einstein comenzaba, como ya hemos anticipado, interesándose por deducir una expresión para la entropía de un sistema que sólo puede absorber energía en forma de calor, o lo que es lo mismo, no puede interaccionar adiabáticamente con otros sistemas. A tal fin recordaba que en 1903 (y en 1902) ya había deducido la relación entre energía y temperatura absoluta, aplicable al sistema considerado, naturalmente supuesto en equilibrio térmico. Variando ligeramente la notación reescribió (I.16) y (I.7) en la forma

$$h = \frac{1}{2}\frac{w'(E)}{w(E)} = \frac{1}{4\kappa T} \qquad \text{(I.16)'}$$

$$w(E)\ \delta E = \int_{E}^{E+\delta E} dp_1 \ldots dp_n \qquad \text{(I.7)'}$$

lo que permite, con ayuda de (I.32) y la casi constancia de la energía, obtener la siguiente expresión para la entropía:

$$S = 2\kappa \log [w(E)] + \text{cte.} \qquad \text{(I.40)}$$

Einstein terminaba el párrafo resaltando la generalidad de esta última expresión pero anticipando que no tenía intención de aplicarla en el resto del trabajo.

En el siguiente apartado Einstein volvió a ocuparse del segundo principio que en 1902 había sido deducido para el caso del equilibrio y del cual, en 1903, no sólo presentó una demostración más rigurosa sino, lo que es más interesante, la amplió a sistemas en su evolución hacia el equilibrio. ¿Qué novedad presenta el trabajo de 1904? Pensamos que tan sólo la sencillez y la forma un tanto más madura del razonamiento empleado son las aportaciones en este apartado. Baste, por ello, indicar simplemente que ahora aparecía sustituido el esquema de 1903 (recordar: una máquina, un *reservoir* y una serie de subsistemas capaces de experimentar únicamente transformaciones adiabáticas) por otro diferente, en el que una serie de *reservoirs* en equilibrio térmico a una cierta temperatura T_0 interaccionan con una máquina que trabaja por ciclos. Tanto el razonamiento como las hipótesis (conservación de la energía y «estados poco probables nunca siguen a los más probables»[45]), son análogos a los empleados en 1903, que anteriormente hemos expuesto. Por ello no vamos a reproducir aquí la deducción del segundo principio, que Einstein entendió en este apartado como ley que asegura el no decrecimiento de la entropía en los procesos infinitamente lentos.

Fue en el epígrafe siguiente donde Einstein abordó, por vez primera, un aspecto que resultaría crucial en su andadura hacia la radiación del cuerpo negro primero y hacia la teoría cuántica después: el del significado de la constante κ. Para un sistema, gaseoso por ejemplo, en equilibrio térmico a la temperatura T_0, la distribución de estados viene dada por

$$dW = \text{cte. } e^{-E/2\kappa T_0}\, dp_1 ... dp_n \tag{I.41}$$

siendo κ la constante universal cuyo significado Einstein trataba de esclarecer «basándose en la teoría cinética atómica y en los trabajos de Boltzmann sobre la teoría de los gases».[45] Con tal distribución se puede calcular la energía cinética media (a la que se continuaba denominando «fuerza viva media») por partícula y se obtiene

$$\bar{L}_\nu = 3\,\kappa T_0 \tag{I.42}$$

donde ν es un subíndice representativo de la partícula individual considerada. Tomando como referencia un mol, la conocida ley para gases ideales permite escribir

$$PV = RT_0 \quad ; \quad R = 8{,}31 \cdot 10^7 \text{ erg/°K} \tag{I.43}$$

La teoría cinética proporciona la relación

$$PV = \frac{2}{3} N \bar{L} \tag{I.44}$$

donde $\overline{L}$ representa el valor medio de la «fuerza viva» correspondiente al centro de masas de una molécula y N es aquí el número de Avogadro.

La comparación de (I.43) y (I.44), teniendo en cuenta (I.42) e identificando $\overline{L}$ con $\overline{L}_\nu$, conduce a

$$N \cdot 2\kappa = R \tag{I.45}$$

Einstein adoptó para N (constante a la que no asoció explícitamente con Avogadro) el valor de $6{,}4 \cdot 10^{23}$, que decía tomar de O. E. Meyer, con lo que llegó a la determinación numérica de κ:

$$\kappa = 6{,}5 \cdot 10^{-17}\ \mathrm{erg/^oK} \tag{I.46}$$

(Los valores actualmente admitidos para las constantes que aquí figuran son: $R \cong 8{,}31 \cdot 10^7\ \mathrm{erg/^oK}$, $N \cong 6{,}02 \cdot 10^{23}$ y $2\kappa \cong 1{,}38 \cdot 10^{-16}\ \mathrm{erg/^oK}$).

Einstein no se conformó con la determinación de κ que acabamos de explicar, totalmente dependiente de la validez de la teoría cinética de los gases. Por ello trató de obtener, en el siguiente apartado, el significado de κ por medio de un discurso de carácter más general. Así llegó a ocuparse del problema de las fluctuaciones de la energía de los sistemas en equilibrio térmico, un tema aparentemente secundario y de escasa relevancia a primera vista. No vamos a reproducir aquí el cálculo sencillo, que por otra parte se puede encontrar en cualquier texto sobre mecánica estadística al estudiar las fluctuaciones de energía en la colectividad canónica (véase por ej. el libro de Pathria[9]), conducente a

$$\overline{\varepsilon^2} = \overline{(E - \overline{E})^2} = 2\kappa T^2 \frac{d\overline{E}}{dT} \tag{I.47}$$

donde $\overline{E}$ representa el valor medio de la energía, obtenido mediante la distribución (I.41). El valor de $\overline{\varepsilon^2}$ representa una medida numérica de la estabilidad térmica del sistema por lo que ésta vendrá determinada por la constante κ.

Por supuesto, Einstein no fue el primero en ocuparse de

las fluctuaciones. Boltzmann y Gibbs, como no podía ser menos, habían puesto de manifiesto su existencia. Concretamente la expresión (I.47) figura en el libro de Gibbs de 1902.[46] Pero tanto uno como otro lo hicieron en un contexto y con una filosofía diferentes, considerando las fluctuaciones como algo vinculado a la descripción estadística y asociadas a propiedades un tanto indeseables. Afortunadamente, para sistemas de tan elevado número de constituyentes elementales como los termodinámicos, el valor de dichas fluctuaciones resulta tan pequeño que las hace inobservables, y, por tanto, irrelevantes en mecánica estadística del equilibrio.

En opinión de Mehra, fueron precisamente la juventud e inexperiencia de Einstein las que le llevaron a no tener en cuenta observaciones de tal naturaleza.[47] Por el contrario, en el apartado final de su trabajo de 1904, propuso aplicar (I.47) a algún sistema en el que la relevancia de las fluctuaciones de la energía hiciera posible una medida directa de $\overline{\varepsilon^2}$ y $\frac{d\overline{E}}{dT}$, lo que conduciría a una determinación directa de la constante κ e indirectamente, a través de (I.45), incluso podría contrastarse el valor por entonces admitido para el número de Avogadro N. El sistema apropiado fue propuesto, sorprendentemente, por Einstein: la radiación del cuerpo negro, un sistema que había sido explícitamente rechazado por Boltzmann como candidato a practicar los métodos estadísticos con él.[47]

Einstein argumentaba así:

> «Si se considera el caso de la radiación térmica [en equilibrio] en un espacio vacío de dimensiones lineales muy grandes comparadas con la longitud de onda correspondiente al máximo de energía radiada a determinada temperatura, el valor de la fluctuación de la energía, en media, será muy pequeño en comparación con la energía media de la radiación en ese espacio. Si, por el contrario, las dimensiones del espacio son del orden de la longitud de onda, la fluc-

tuación de la energía será del mismo orden de magnitud que la energía de la citada radiación».[48]

Con estas premisas

$$\overline{\varepsilon^2} = \overline{E}^2 \tag{I.48}$$

El valor de $\overline{E}$ puede obtenerse a partir de la ley de Stefan-Boltzmann:

$$\overline{E} = cVT^4 \tag{I.49}$$

donde V representa el volumen de la cavidad que contiene a la radiación y, si este volumen se mide en cm^3, la constante c vale $7{,}06 \cdot 10^{-15}$ $erg/°K^4cm^3$. De las expresiones (I.47), (I.48) y (I.49) se deduce inmediatamente

$$\sqrt[3]{V} = \frac{2\sqrt[3]{\frac{\kappa}{c}}}{T} = \frac{0.42}{T} \tag{I.50}$$

donde las constantes κ y c han sido sustituidas por los valores numéricos correspondientes. Si λ_m representa la longitud de onda asociada al máximo de energía radiada, los resultados de las experiencias llevadas a cabo para su determinación en función de la temperatura proporcionaban la expresión siguiente («ley del desplazamiento» de Wien):

$$\lambda_m = \frac{0.293}{T} \tag{I.51}$$

La comparación de (I.50) y (I.51) sirvió a Einstein para confirmar su intuición sobre la radiación como sistema apropiado para ensayar en él los métodos estadísticos a fin de profundizar en el estudio de la estabilidad térmica. Lo expresó con estas palabras que sirvieron de telón a su trabajo de 1904:

> «Ello muestra que, mediante la teoría molecular general del calor, no sólo se puede determinar la clase de dependencia de λ_m respecto de la temperatura, sino

> también el orden de magnitud de λ_m, y yo creo que, dada la gran generalidad de nuestras hipótesis, el acuerdo [con los resultados experimentales] no debe ser atribuido a la casualidad».[49]

Pensamos que la importancia, y las consecuencias, de la forma en que Einstein se vio impelido a dirigir su atención al problema de la radiación del cuerpo negro, no han sido aún debidamente valoradas. Se trata de un tema que nos resulta grato en especial, pues a él hemos dedicado parte de nuestras últimas investigaciones, cuyos resultados principales expondremos en el Capítulo II.

5
Breve historia del movimiento browniano

Se atribuye usualmente a Robert Brown haber descrito por primera vez, en 1828, el a partir de entonces llamado «movimiento browniano». Al investigar sobre el polen de diferentes plantas, observó que sufría una dispersión en gran número de partículas cuando se depositaba en agua, percibiéndose unos movimientos irregulares, directamente observables al microscopio, asociados a cada molécula de polen. Resulta imprescindible aclarar el significado que los biólogos, entre ellos R. Brown, daban a la palabra *molécula* en los comienzos del siglo XIX. Se admitía que todas las plantas y animales desarrollan una cantidad de *moléculas orgánicas* que gozan de movimientos propios y cuya formación, en cierto organismo, había de regirse por alguna regla hasta entonces desconocida. Estas *moléculas* constituían un material primario, asociado a todos los seres vivos, cuya existencia parecía haber sido plenamente confirmada por las observaciones microscópicas. Por supuesto, la teoría celular que aparecería posteriormente dejó desprovista de sentido cualquier recurrencia a las *moléculas orgánicas*.

En este contexto hay que situar la aportación de R. Brown: no se limitó a poner de manifiesto el movimiento de partículas microscópicas en fluidos (lo cual, por otra parte, se había hecho en numerosas ocasiones), sino que disoció tales movimientos de su carácter orgánico precedente. Lo que ciertamente comprobó Brown es que tanto la materia orgánica como la inorgánica pueden ser divididas en corpúsculos microscópicos que, sumergidos en fluidos, experimentan un curioso movimiento en zig-zag. En definitiva, y utilizando palabras de S. G. Brush, la relevancia de la aportación de Brown estriba en que «eliminó el problema del campo de la biología y lo incorporó al de la física»,[50] contra la corriente imperante en la época.

El movimiento browniano, una vez catalogado como problema físico, fue poco estudiado durante la primera mitad del siglo XIX. Fue en la segunda, tras el desarrollo de la termodinámica y de la teoría cinética de los gases, cuando el movimiento de las partículas suspendidas en fluidos adquirió interés como muestra de las posibles relaciones entre calor y movimientos microscópicos. No obstante, como es lógico, las primeras explicaciones resultaban de carácter cualitativo y se basaban frecuentemente en la vieja teoría del calórico. Para ilustrar la idea que del calor se tenía por aquellos tiempos, reproducimos un párrafo de un diccionario científico publicado en 1856:

> «El calor es el único agente que le afecta [al movimiento microscópico]; hace que el movimiento sea más rápido. Ello podría ser atribuido a los varios impulsos que cada partícula recibe del calor radiante emitido por aquellas adyacentes».[51]

De acuerdo con ideas de tal índole, el físico francés J. Regnauld explicó en 1858 el movimiento browniano como un efecto del calentamiento de ciertas partículas que absorbían calor de la luz incidente; la transmisión posterior de este calor al resto del fluido originaría corrientes capaces de arrastrar a las partículas brownianas por trayectorias imprevisibles, pero observables.

El matemático alemán Ch. Wiener se basó en la propia experimentación para rechazar en 1863 toda causa externa como origen del movimiento browniano. A conclusiones parciales, siempre cualitativas, llegaron también otros investigadores por esta época. S. Exner (1867) encontró que la velocidad del movimiento disminuía al crecer el tamaño de las partículas y aumentaba con la intensidad de la luz y con la aportación de calor. Para G. Cantoni (1868), atribuir el movimiento browniano a corrientes térmicas en el líquido era lo más coherente con los principios fundamentales de la teoría del calor. J. B. Dancer (1868) apuntó que una explicación definitiva del fenómeno tendría que basarse en consideraciones sobre la absorción y radiación de calor.

Una novedad radical fue introducida por el británico W. S. Jevons en 1870, al considerar que el movimiento browniano resultaba de un efecto eléctrico en el que también intervenía la ósmosis; todo ello a pesar de las continuas contraargumentaciones de Dancer, quien consideraba suficientemente probado que el calor era el único responsable del misterioso zig-zag. Jevons no se conformó con presentar su explicación eléctrica, sino que propuso un nuevo nombre para el fenómeno: *pédesis,* quizá para resaltar, como escribe Brush, que «Brown, después de todo, no fue el primero en observar partículas danzantes al microscopio; fue, simplemente, un buen publicista».[52] Desde luego la teoría de Jevons, por ingeniosa que fuera, no podía llegar muy lejos en su aspecto cuantitativo; entre otras cosas, porque no existía aún una teoría de la presión osmótica en soluciones. Van't Hoff la formularía en 1884. Jevons, en sus múltiples elucubraciones, llegó incluso a referirse en 1878 al efecto *pédesis* como resultado de un proceso aleatorio que podría ser tratado por teoría de la probabilidad.

En 1877 el físico belga J. Delsaux introdujo una idea sustancial para la comprensión del origen del movimiento browniano. Expresó su creencia en que la causa de éste estaba en los impactos de las moléculas de líquido sobre las partículas suspendidas. Esta hipótesis fue inmediatamente rechazada por el botánico alemán K. Nägeh quien, en 1879, publicó un trabajo en el que evaluaba, con ayuda de sus conocimientos de teoría cinética y la conjetura de Delsaux, la velocidad de una partícula browniana en un gas obteniendo el resultado de 0.002 mm/seg. Los cálculos en líquidos resultaban más problemáticos a causa de la dificultad de asignar valores numéricos a la velocidad de sus moléculas, pero, en cualquier caso, la velocidad de la partícula tenía que resultar menor que en los gases, por lo que la conclusión fue rotunda: la hipótesis de Delsaux conducía a la imposibilidad de la observación al microscopio del familiar zig-zag. Para Nägeh, la causa de este movimiento no estaba en los movimientos moleculares de origen térmico, sino en algún otro tipo de fuerzas tanto atractivas como repulsivas.

Quizá la última aportación relevante, previa a la de Einstein, sea la del físico francés L. G. Gouy expuesta en 1888 y maravillosamente sintetizada por H. Poincaré quien, al mismo tiempo, expuso el estado del problema en 1904 con estas palabras pronunciadas con motivo de la Exposición Internacional de St. Louis:

> «El biólogo, armado con su microscopio, hace tiempo que encontró en sus preparaciones movimientos desordenados de partículas en suspensión: éste es el movimiento browniano; pensó, primero, que se trataba de un fenómeno vital, pero pronto vio que los cuerpos inanimados danzaban con no menos ardor que los otros; entonces le pasó el problema a los físicos. Desgraciadamente, los físicos se mantuvieron demasiado tiempo desinteresados por esta cuestión; la luz es enfocada para iluminar la preparación microscópica, pensaron ellos; con la luz va el calor; de ahí las desigualdades de temperatura y las corrientes internas que producen en el líquido los movimientos a los que nos estamos refiriendo.
>
> »Gouy, sin embargo, analizó el problema más detenidamente y vio, o creyó ver, que la explicación anterior resultaba insostenible, que los movimientos son más vivos cuando las partículas son más diminutas, pero que no eran influidos por la forma de iluminación.
>
> »Entonces, si estos movimientos nunca cesan, o más bien renacen continuamente sin aportación alguna de una fuente externa de energía, ¿qué tenemos que pensar? Por supuesto, no deberíamos renunciar a nuestra creencia en la conservación de la energía, pero vemos

ante nuestros ojos cómo unas veces el movimiento se transforma en calor por fricción y otras cómo, inversamente, el calor se transforma en movimiento, y esto sin pérdidas, puesto que el movimiento permanece indefinidamente. Es lo opuesto al principio de Carnot».[53]

Entre las aportaciones de Gouy y las de Einstein, cabe citar una colaboración importante, la de F. M. Exner, quien en 1900 añadió a la creencia ya generalizada de que la velocidad del movimiento decrecía cuando aumentaba el tamaño de las partículas, la hipótesis de que dicha velocidad aumentaba cuando lo hacía la temperatura del fluido.

6
Einstein y el movimiento browniano

Resulta sorprendente la escasa difusión que han tenido, y tienen, los trabajos de Einstein en torno al movimiento browniano si ésta se compara con la obtenida por el resto de su obra. Como ejemplo ilustrativo citemos simplemente uno de los varios volúmenes dedicados a condensar la obra científica de Einstein con motivo del centenario de su nacimiento. Nos referimos a uno tan conocido como el editado por A. P. French.[54] En la página 55 puede leerse el siguiente párrafo que, en nuestra opinión, resume una impresión generalizada sobre los primeros trabajos de Einstein:

> «El año 1905 fue el *annus mirabilis* de Einstein: una fecha para ser colocada junto a la de 1543 (cuando Copérnico publicó *De Revolutionibus Orbium Coelestium*) y 1686 (cuando Newton completó sus *Principia*). Vio aparecer, no sólo su teoría de la relatividad especial (en un trabajo titulado “Sobre la electrodinámica de los cuerpos en movimiento”) sino también la publicación de otros dos grandes trabajos, uno sobre la teoría del movimiento browniano y el otro sobre las propiedades de la luz, introduciendo el concepto fundamental de la física cuántica: la existencia de los *quanta* de energía».

Tal pregón resulta paradójico si se compara con el contenido del volumen de French que, aunque incluye trece trabajos dedicados a la exposición de la obra einsteiniana, ninguno hace referencia a su explicación del movimiento browniano, ¡y ni siquiera aparece el tema en el índice de materias! Puede comprobarse mediante las consultas pertinentes que el tratamiento dado a esta parte de la aportación científica de Einstein en la obra a la que nos hemos referido es bastante representativo de la atención efectivamente dedicada al tema a la hora de divulgar las conquistas einsteinianas.

Incidentalmente, valdría la pena recordar que ni los trabajos sobre relatividad ni los referentes a mecánica estadística ni a teoría cuántica fueron considerados por Einstein a la hora de presentar su tesis doctoral. Su primer proyecto, un ensayo sobre la teoría cinética de los gases, fue rechazado en Zürich, a finales de 1901, a instancias del profesor Kleiner.[55] No le debió de sentar bien a Einstein este fracaso inicial, a juzgar por las impresiones que, en 1903, comunicaba a Besso a propósito de su deseo de dedicarse a la carrera académica universitaria:

> «Recientemente he decidido hacerme *Privatdozent* [primer escalón para la carrera académica], suponiendo que pueda lograrlo. Por el contrario, no prepararé el doctorado pues, al fin y al cabo, no me resulta útil, y toda esta comedia me está resultando fastidiosa».[56]

A pesar de tan amargas palabras, Einstein volvió a enviar a la Universidad de Zürich otro proyecto de tesis doctoral en 1905. También fue rechazado sobre la base del informe del profesor Kleiner, que esta vez consideró excesivamente corto el trabajo. Einstein insistió añadiéndole una sola frase,[57] y esta vez fue aceptado, lo que puede que no sirviera sino para corroborar las sensaciones que le producía «la comedia», tal como había confesado a Besso. Su tesis doctoral, a la que hemos de referirnos más adelante, versó sobre la determinación de dimensiones moleculares y del número de Avogadro. Anticipemos que el famoso artículo sobre el movimiento browniano, que analizaremos en detalle un poco más adelante, fue recibido para su publicación en *Annalen der Physik* el 11 de mayo de 1905, mientras que la tesis fue completada el

30 de abril de 1905, lo que sugiere la existencia en ésta de, al menos, el germen de las ideas einsteinianas respecto del mecanismo físico regulador del movimiento browniano.

Pero, volviendo al tema de la difusión de esta parte de la obra de Einstein, nos gustaría contrastarla con la valoración asignada desde diferentes perspectivas. Max Born se refirió en estos términos a la aportación einsteiniana:

> «Einstein obtuvo su famosa ley [para el movimiento browniano] expresando el desplazamiento cuadrático medio en [el intervalo de tiempo] τ en función de magnitudes medibles (temperatura, radio de la partícula, viscosidad del líquido) y del número de moléculas en una molécula gramo (número de Avogadro N). Por su sencillez y claridad, este trabajo es un clásico de nuestra ciencia».
>
> ....
>
> «Creo que estas investigaciones de Einstein [sobre el movimiento browniano] han hecho más que ningún otro trabajo por convencer a los físicos de la realidad de los átomos y de las moléculas, de la teoría cinética del calor y del papel fundamental de la probabilidad en las leyes naturales».[58]

La influencia de estas investigaciones de Einstein sobre trabajos posteriores fue extraordinaria. Por dar alguna prueba cuantitativa, y siendo conscientes de que no se trata de un argumento definitivo, resaltaremos un dato numérico. Entre los once trabajos científicos –de cualquier autor–, publicados antes de 1912 y citados con mayor frecuencia entre los años 1961 y 1975, cuatro son de Einstein.[59] Nada sorprendente. Pero quizá sí lo resulte para muchos saber que su tesis (publicada en *Annalen* en 1906) figura a la cabeza, seguida de una aplicación de ella a la que nos referiremos más adelante, del movimiento browniano y de un trabajo sobre la opalescencia crítica; no aparecen en el *ranking* sus trabajos sobre relatividad ni sobre teoría cuántica.

¿Cuál puede ser la explicación que haga compatible el reconocimiento generalizado de la trascendencia de las investigaciones de Einstein acerca del movimiento browniano y su escasa divulgación, incluso dentro de las publicaciones dedicas a glosar su vida y su obra? Es bien posible que parte de la razón buscada estribe, precisamente, en la claridad y sencillez con que resolvió el problema y, al no proyectarse éste directamente en otros problemas de las fronteras de la física, su revisión puede considerarse carente de interés. Pero, en el contexto de este trabajo nuestro, la consideración de las investigaciones einsteinianas sobre el movimiento browniano resulta imprescindible, pues en última instancia toda fundamentación de la mecánica estadística reposa en la realidad de las moléculas y en la validez de la teoría cinética molecular. Es verdad que en una exposición lógica de los fundamentos de la mecánica estadística habría que comenzar por la demostración de la existencia de constituyentes elementales en todo sistema físico complejo para, a continuación, tomando como punto de partida el comportamiento de estas estructuras básicas, deducir propiedades de los sistemas macroscópicos. Pero la historia de la física, o mejor dicho Einstein, no siguió el camino más «pedagógico». Primero se construyeron las estructuras del edificio (los trabajos de 1902, 1903 y 1904 que hemos estudiado) y después, mediante la explicación del movimiento browniano en 1905, se demostró que la base sobre la que se apoyaban (la estructura molecular de la materia) era tan suficientemente sólida como implícitamente se había supuesto.

No quisiéramos entrar de lleno en el estudio que Einstein hizo del movimiento browniano sin antes resaltar que el modelo introducido, en el que las partículas de un fluido se consideran como un «baño» en equilibrio, cuyas fluctuaciones térmicas son las responsables del movimiento de partículas coloidales sumergidas en él, se considera hoy como el punto de referencia inicial para el desarrollo ulterior de la teoría de los procesos estocásticos, de actualidad no sólo en distintos campos de la física,[60] sino en otros de naturaleza diferente entre los que incluso se encuentran algunos pertenecientes a la esfera de las ciencias sociales.[61]

La explicación que Einstein propuso para el movimiento browniano incorporaba en el mismo modelo dos teorías que hasta entonces se venían tomando como desconectadas entre sí, cuando no incompatibles. Se trataba de una de las primeras manifestaciones de la combinación ingenio-audacia característica de la obra científica de nuestro personaje. Por un lado, de la hidrodinámica utilizó la fórmula que expresaba la fuerza actuante sobre una esfera que se mueve en el interior de un fluido viscoso, es decir, de un medio continuo. Por otra parte, de la teoría de disoluciones, basada en la teoría cinética de los gases, adoptó la expresión usual para la presión osmótica, sobre la base de un hipotético comportamiento discreto de la materia. Convenientemente aderezados ambos aspectos, el continuo y el discreto, permitieron a Einstein la elaboración de un modelo basado en un movimiento aleatorio para la partícula browniana, con el que pudo obtener el desplazamiento cuadrático medio correspondiente, resultado esencial en el famoso trabajo de 1905.[6]

Nos parece interesante dejar constancia de que tanto la redacción de sus trabajos, como las manifestaciones posteriores del propio Einstein, aclaran la motivación de esta clase de investigaciones. No se trataba de resolver una dificultad esencial planteada acerca del movimiento de partículas coloidales en suspensión. El objetivo perseguido era notablemente más elevado: se trataba de encontrar, a toda costa, algún fenómeno físico susceptible de análisis experimental para el que las predicciones teóricas de naturaleza atómico-estadística difirieran notablemente de las estrictamente macroscópicas. Ello haría posible pensar en un test definitivo para comprobar, cuando menos, la validez de la hipótesis básica de la mecánica estadística, por entonces recién establecida: la constitución atómica de la materia. Su famoso artículo de 1905 comenzaba así:

> «En este trabajo se demostrará que, de acuerdo a la teoría cinético-molecular del calor, cuerpos de tamaño visible al microscopio suspendidos en un líquido han de realizar movimientos de tal magnitud que

pueden ser fácilmente observados en un microscopio, como consecuencia de los movimientos moleculares del calor. Es posible que los movimientos que se van a discutir aquí sean idénticos al llamado "movimiento molecular browniano"; sin embargo, la información de que dispongo en relación con esto último es tan imprecisa que no puedo formular juicios al respecto».[62]

Fue en un segundo artículo sobre el mismo tema, enviado a publicar más de seis meses después del anterior, y que apareció ya en 1906,[63] donde incluso en el título («Sobre la teoría del movimiento browniano») Einstein puso de manifiesto que su teoría proporcionaba la explicación del movimiento browniano, citando los trabajos de Gouy, en 1888, a los que nos hemos referido anteriormente.

Para acabar de poner de manifiesto las verdaderas motivaciones y los objetivos perseguidos por Einstein, transcribimos un párrafo de las notas autobiográficas en las que se refiere a esta etapa, y que nos parece sumamente elocuente:

> «Sin estar al corriente de las investigaciones anteriores de Boltzmann y Gibbs, que ya habían aparecido y habían agotado realmente el tema, desarrollé la mecánica estadística y la teoría cinético-molecular de la termodinámica, que estaba basada en la anterior. Mi principal interés radicaba en encontrar hechos que pudieran garantizar tanto como fuera posible la existencia de átomos de tamaño finito determinado. Estando en ello descubrí que, de acuerdo con la teoría atomística, debería existir un movimiento de partículas microscópicas en suspensión susceptible de ser observado experimentalmente, sin saber que observaciones relativas al movimiento browniano eran ya familiares desde hacía largo tiempo».[64]

Con el objeto de facilitar la comprensión de la aportación einsteiniana conviene sintetizar dos tópicos ya bien establecidos en la física del cambio de siglo y que Einstein hizo converger en la explicación del movimiento browniano: la teoría cinética de los gases y la de las partículas sumergidas en fluidos.

Es usual considerar a Clausius el fundador de la teoría cinética de los gases por su deducción, en 1857 (no por primera vez sino con hipótesis plausibles y suficientemente generales), de la ley de los gases ideales en la forma

$$P = \frac{1}{3} nmc^2 \qquad (I.52)$$

donde P representa la presión, n la densidad de moléculas, m la masa molecular y c^2 la velocidad cuadrática media de las moléculas. Dicha expresión ya había sido introducida por Krönig en 1856, pero allí c representaba la velocidad de las moléculas, supuesta la misma para todas, no porque así lo creyera en realidad, sino como mal menor. En palabras del propio Krönig:

> «El camino de cada molécula ha de ser tan irregular como para resistir el desafío de cualquier intento de cálculo. Sin embargo, de acuerdo a las leyes de la teoría de la probabilidad, puede asumirse un movimiento completamente regular en lugar de éste totalmente irregular».[65]

En 1859 Clausius introdujo, además, el camino libre medio como magnitud física relevante, y en 1860 Maxwell dedujo la ley de distribución de velocidades basándose en principios elementales de la teoría de la probabilidad. Este período fundacional suele considerarse cerrado con las aportaciones de Boltzmann quien, entre 1868 y 1871, generalizó la ley de Maxwell a gases poliatómicos y tuvo en cuenta la posible existencia de fuerzas exteriores; también formuló un enunciado del principio de equipartición y encontró, asimismo, que la distribución hoy conocida como de Maxwell-Boltzmann se conserva con respecto a las colisiones moleculares. En 1872 estableció su célebre teorema H que proporciona una descripción molecular para la tendencia al equilibrio.

Desde un principio Einstein sintió un interés especial por la teoría cinética; recuérdese que en su primer proyecto de tesis doctoral se ocupaba de este tema.[55] Le atraía el hecho de que las principales características del comportamiento de los gases ideales se pudieran deducir a partir de la hipótesis de su constitución molecular, de la ausencia de correlaciones entre las velocidades moleculares y de que la evolución dinámica estuviera condicionada exclusivamente por las colisiones intermoleculares. Einstein la adoptó como modelo de apoyo en su búsqueda de una teoría más general aplicable a gases, líquidos, sólidos y, como veremos, a sistemas tan complejos como la radiación electromagnética. En esta línea de pensamiento resulta lógico que su preocupación inmediata consistiera en poner en evidencia lo que hasta entonces no pasaba de ser un supuesto extendido: todo sistema físico macroscópico está constituido por partículas elementales obedientes a las leyes de la mecánica. No obstante, esta imagen atomística universal conducía por aquel entonces a ciertas paradojas que constituyeron, junto con la ausencia de una prueba experimental directa, razón suficiente para que, a finales del siglo XIX (y primeros años del XX), físicos prestigiosos encabezados por Ostwald y Mach, cuestionaran con vehemencia la validez de la hipótesis atomística. Eran firmes partidarios de una visión puramente termodinámica, o energicista que, según ellos, proporcionaba toda la explicación requerida sobre el comportamiento físico de los sistemas termodinámicos y estaba exenta de paradojas y contradicciones.

Einstein no podía emplear en 1905, por inexistente, una teoría cinético-molecular de los líquidos al modo de la de los gases. Hubo de acudir al único recurso existente: el tratamiento del líquido como un medio continuo para el que la fórmula de Stokes, de 1845, proporcionaba una evaluación de la resistencia ofrecida al movimiento de una esfera en su seno, y que dependía del medio en cuestión exclusivamente a través de su viscosidad o fricción interna.

El otro puntal para el tratamiento einsteiniano del movimiento de partículas en fluidos lo constituyó la teoría de Van't Hoff. Esta se basaba en una analogía detectada por su autor (primer premio Nobel de Química, 1901) entre gases ideales y disoluciones en equilibrio químico. La teoría, establecida a partir de 1884, proporcionaba una expresión para la presión osmótica en soluciones, válida cuando las moléculas disueltas fueran de tamaño comparable a las del líquido.

Insistamos en la audacia (¿o ingenuidad?) que supuso utilizar en 1905, en un mismo problema, la fórmula de Stokes (asociada a una estructura continua del medio sin tener en cuenta los movimientos moleculares individuales) y la de Van't Hoff (basada en hipótesis cinético-moleculares y excluyendo cualquier efecto de naturaleza global). Ello aclara que ya en esa época Einstein consideraba compatibles el discreto microscópico y el continuo macroscópico, como antes (al fundamentar sobre la base de una teoría cinético-molecular el segundo principio de la termodinámica entre 1902 y 1904) había sido capaz de reconciliar la reversibilidad mecánica con la irreversibilidad termodinámica; y más tarde, como tendremos ocasión de señalar, apuntó la posible compatibilidad entre la estructura cuántica de la radiación y la teoría de Maxwell del campo electromagnético.

Con este preámbulo estamos en condiciones de exponer una versión simplificada, aunque situada en el contexto histórico correspondiente, de la teoría de Einstein del movimiento browniano, tal como fue formulada en 1905.

7
Sobre el movimiento de pequeñas partículas suspendidas en un líquido estacionario, según la teoría cinético-molecular del calor (1905)

Así reza el título del que se reconoce universalmente como el famoso trabajo de Einstein sobre el movimiento browniano.[6] En el primer apartado se comenzaba estudiando el comportamiendo de «z moléculas-gramo de un no electrolito disueltas en un volumen V* que forma parte de un líquido de volumen total V». En virtud de la teoría de Van't Hoff, al que no se citaba expresamente, si el volumen V* se separase del solvente puro mediante una membrana semipermeable (permeable sólo para el solvente), la presión osmótica p ejercida sobre esta membrana vendría dada por

$$pV^* = RTz \qquad (I.53)$$

a condición de que V*/z sea suficientemente grande. (T representa la temperatura absoluta y R la constante universal de los gases.)

Einstein consideró que, adoptando el punto de vista de la teoría cinético-molecular,

> «... una molécula disuelta se diferencia de un cuerpo en suspensión *únicamente* por sus dimensiones, y no es plausible pensar que un cierto número de partículas suspendidas produzcan otra presión osmótica que la determinada por el mismo número de moléculas».[66]

Teniendo en cuenta que el movimiento irregular de las partículas suspendidas, presumible en virtud de la teoría cinético-molecular del calor, puede hacer perder su significado al volumen V*, Einstein optó por escribir la fórmula anterior así:

$$p = \frac{RT}{V^*}\frac{n}{N} = \frac{RT}{N}\nu \qquad (I.54)$$

donde n indica el número de partículas suspendidas en V*, N el número de Avogadro y ν la concentración (número de partículas disueltas por unidad de volumen).

El segundo apartado del trabajo lo dedicó Einstein a deducir las expresiones (I.53) y (I.54) a partir de la mecánica estadística por él formulada en los años anteriores (concretamente citaba los artículos de 1902[2] y 1903[3]). Ello le sirvió para llegar a una importante conclusión en su línea de pensamiento:

> «Mediante este análisis ha quedado demostrado que la existencia de una presión osmótica puede deducirse a partir de la teoría cinético-molecular del calor; y que, en cuanto a presión osmótica se refiere, moléculas disueltas y moléculas suspendidas son, de acuerdo a esta teoría, idénticas en sus comportamientos a pequeñas concentraciones».[67]

Es en el tercer apartado donde aparece propiamente estudiada la difusión de pequeñas esferas suspendidas en un líquido. Como se consideraba una situación de equilibrio dinámico deben compensarse exactamente la «fuerza osmótica», que tiende a llevar partículas de regiones de alta a baja concentración, y la «fuerza de viscosidad», que se opone al movimiento anterior. Llamando K a la fuerza del primer tipo ejercida sobre una partícula en suspensión, x a la dirección del movimiento de la misma, y utilizando la expresión (I.54) para evaluar el gradiente de presión, se obtiene

$$K\nu = \frac{\partial p}{\partial x} = \frac{RT}{N}\frac{\partial \nu}{\partial x} \qquad (I.55)$$

Por otra parte, la fórmula de Stokes proporciona la velocidad de una partícula de radio P (es la notación original) que se mueve en el seno de un fluido con coeficiente de viscosidad k y sometida a la fuerza K:

$$v = \frac{K}{6\pi kP} \tag{I.56}$$

(Aquí Einstein no citó expresamente a Stokes, sino a G. Kirchoff, concretamente a sus «Lecciones sobre mecánica», aunque sin especificar detalles de la edición. Parece evidente que se refiere a *Vorlesungen über mathematische Physik,* primer volumen, *Mechanik,* editado por B. G. Teubner, Leipzig [1894], pues como se puede observar en su correspondencia con Mileva Marić, antes de la boda que tuvo lugar en enero de 1903, ésta era una obra de consulta utilizada por Einstein en sus investigaciones ya en 1900.)[68]

La eliminación de K entre (I.55) y (I.56) conduce a

$$6\pi kPv\nu = \frac{RT}{N}\frac{\partial \nu}{\partial x} \tag{I.57}$$

expresión susceptible, en principio, de ser sometida a un test experimental directo pues incorpora magnitudes medibles sin grandes dificultades.

Pero la expresión (I.57) no figura como tal en el trabajo de Einstein, aunque como afirma Brush, siguiendo a Fürth, «éste habría sido el camino más directo».[69] En su lugar, y evitando que v (¡velocidad de la partícula en un proceso de difusión!) figure en las expresiones, Einstein manejó un formalismo más coherente. El número de partículas que atraviesan la unidad de sección normal a la dirección del movimiento, por unidad de tiempo, viene dado por

$$\frac{\nu K}{6\pi kP}$$

Si esta cantidad se iguala con el número de partículas difundidas en las mismas condiciones

$$D\frac{\partial \nu}{\partial x}$$

se obtiene

$$\frac{\nu K}{6\pi kP} = D\,\frac{\partial \nu}{\partial x} \qquad (I.58)$$

donde D, como es usual, representa el coeficiente de difusión. Esta última es la expresión que Einstein incluyó en su trabajo, así como la de D, que se obtiene tras eliminar el gradiente de la concentración entre (I.55) y (I.58):

$$D = \frac{RT}{N}\,\frac{1}{6\pi kP} \qquad (I.59)$$

Así pues, el coeficiente de difusión, sin tener en cuenta efectos gravitatorios, depende, además de constantes universales, de la temperatura absoluta, del coeficiente de viscosidad del líquido y del tamaño de las partículas en suspensión.

El cuarto apartado del trabajo lo dedicó Einstein a unas consideraciones que habían de resultar, con el tiempo, de importancia capital para el tratamiento de los procesos estocásticos. Como bien señala Brush:

> «Difícilmente se puede asignar alguna originalidad a las matemáticas utilizadas por Einstein [en este apartado]; la novedad estriba en abordar la descripción de los movimientos de la partícula, que son en principio aún deterministas (a nivel molecular), por un cierto procedimiento de análisis probabilístico».[70]

Esta idea resultó de enorme trascendencia para las investigaciones posteriores sobre el movimiento browniano de partículas en casos de la mayor generalidad, como se puede observar, por ejemplo, consultando los trabajos contenidos en la recopilación de Wax anteriormente citada.[60] Las consideraciones einsteinianas comenzaban así:

> «Evidentemente se debe suponer que cada partícula individual ejecuta un movimiento que es independiente del movimiento de todas las demás; los movimientos de una cierta partícula tras distintos

intervalos de tiempo han de considerarse como procesos mutuamente independientes, siempre que estos intervalos de tiempo no se hayan escogido demasiado pequeños.

»Introduciremos en nuestra discusión un intervalo de tiempo τ que sea muy pequeño comparado con el intervalo de tiempo observado pero, no obstante, de tal magnitud que los movimientos ejecutados por una partícula en dos intervalos de tiempo τ consecutivos puedan ser considerados como fenómenos mutuamente independientes».[71]

En estas condiciones de ausencia de correlaciones entre intervalos temporales consecutivos, y suponiendo n partículas suspendidas en el líquido, el número dn de partículas que sufren, dentro de un intervalo de tiempo τ, un desplazamiento de su coordenada x comprendido entre Δ y Δ+dΔ, podrá expresarse en la forma

$$dn = n\Phi(\Delta)\, d\Delta \qquad (I.60)$$

donde $\Phi(\Delta)d\Delta$ representa la probabilidad de que la coordenada de una partícula cualquiera sufra un desplazamiento desde Δ a Δ+dΔ, en el intervalo de tiempo τ. Esto último implica

$$\int_{-\infty}^{+\infty} \Phi(\Delta)\, d\Delta = 1 \qquad (I.61)$$

y, además, es de suponer que la función Φ difiera de cero sólo para pequeños valores de Δ; también es evidente que se ha de verificar

$$\Phi(\Delta) = \Phi(-\Delta) \qquad (I.62)$$

A partir de aquí Einstein pasó a designar f(x,t) a la concentración (número de partículas por unidad de volumen). El valor de $f(x,t+\tau)$ se podrá deducir a partir de $f(x+\Delta,t)$ sin más que asignar el correspondiente peso probabilístico a cada posible desplazamiento. Es decir:

$$f(x,t+\tau) = \int_{-\infty}^{+\infty} f(x+\Delta,t)\ \Phi(\Delta)\ d\Delta \qquad \text{(I.63)}$$

donde se ha tenido en cuenta (I.62).

Al considerarse intervalos de tiempo τ muy pequeños frente a los tiempos usuales de observación, resulta lícita la aproximación de primer orden en τ:

$$f(x,t+\tau) = f(x,t) + \tau \frac{\partial f(x,t)}{\partial t} \qquad \text{(I.64)}$$

Si, por otra parte se desarrolla f en serie de potencias de Δ se obtiene

$$f(x+\Delta,t) = f(x,t) + \Delta \frac{\partial f(x,t)}{\partial x} + \frac{\Delta^2}{2!} \frac{\partial^2 f(x,t)}{\partial x^2} + ... \qquad \text{(I.65)}$$

Sustituyendo (I.64) y (I.65) en (I.63) se llega a la expresión

$$f(x,t) + \tau \frac{\partial f(x,t)}{\partial t} = f(x,t) \int_{-\infty}^{+\infty} \Phi(\Delta)\ d\Delta + \qquad \text{(I.66)}$$
$$+ \frac{\partial f(x,t)}{\partial x} \int_{-\infty}^{+\infty} \Delta\ \Phi(\Delta)\ d\Delta + \frac{\partial^2 f(x,t)}{\partial x^2} \int_{-\infty}^{+\infty} \frac{\Delta^2}{2!}\ \Phi(\Delta)\ d\Delta + ...$$

Teniendo en cuenta la simetría expresada por (I.62), los sumandos pares del segundo término de (I.66) se anulan. El primer sumando vale simplemente f(x,t) en virtud de (I.61). Por todo ello, y limitándose a la aproximación más baja, la expresión (I.66) adopta la forma

$$\frac{\partial f(x,t)}{\partial t} = D \frac{\partial^2 f(x,t)}{\partial x^2} \qquad \text{(I.67)}$$

que es la ya por entonces bien conocida ecuación diferencial de la difusión, y donde el coeficiente de difusión D viene dado por

$$D = \frac{1}{\tau}\int_{-\infty}^{+\infty} \frac{\Delta^2}{2}\Phi(\Delta)\, d\Delta \qquad (I.68)$$

Llegado a este punto, Einstein llamó la atención sobre lo innecesario que resulta referir todas las partículas a un mismo sistema de coordenadas al tratarse de movimientos independientes. Optó por elegir un sistema de coordenadas cuyo origen coincide, en $t = 0$, con la posición del centro de gravedad de la partícula en cuestión. Así $f(x,t)dx$ representará el número de partículas cuya coordenada, que valía $x = 0$ en $t = 0$, adquiere un valor comprendido entre x y $x+dx$, en el instante t. Obviamente se ha de verificar

$$\begin{aligned} &f(x,0) = 0, \text{ para todo } x \neq 0 \\ &\int_{-\infty}^{+\infty} f(x,t)\, dx = n, \text{ para todo } t > 0 \end{aligned} \qquad (I.69)$$

La solución de la ecuación diferencial (I.67) que satisface las condiciones (I.69) es

$$f(x,t) = \frac{n}{\sqrt{4\pi D}}\,\frac{e^{-x^2/4Dt}}{\sqrt{t}} \qquad (I.70)$$

Con ayuda de esta última expresión se puede calcular inmediatamente «el desplazamiento λ_x en la dirección del eje x que una partícula experimenta en media, o más precisamente expresado, la raíz cuadrada de la media aritmética de los cuadrados de los desplazamientos en la dirección del eje x»[72]; ello conduce a

$$\lambda_x = \sqrt{\overline{x^2}} = \sqrt{2Dt} \qquad (I.71)$$

En el último apartado de este famoso trabajo de Einstein figura la expresión del desplazamiento medio en función de constantes universales y de magnitudes características del problema tratado. Para ello basta sustituir la igualdad (I.59) en (I.71). Se obtiene así

$$\lambda_x = \sqrt{t} \cdot \sqrt{\frac{RT}{N} \frac{1}{3\pi kP}} \qquad (I.72)$$

expresión que muestra la dependencia del desplazamiento medio con el tiempo t, con la temperatura T, con la viscosidad del líquido k y con el radio de la partícula suspendida P. En el caso del agua, que fue el ejemplo escogido por Einstein, con partículas en suspensión de 0.001 mm de diámetro y a 17 °C, el desplazamiento medio en un minuto sería aproximadamente de 6μ.

Por supuesto, a Einstein no le podía pasar por alto que la expresión (I.72) era susceptible de ser utilizada para la determinación del número de Avogadro; y ésta es precisamente la última sugerencia que contiene el trabajo. Creemos que dos comentarios recientes de Pais sobre la igualdad (I.72) ilustran aspectos interesantes de la misma. Por un lado, no se puede dejar de «experimentar sorpresa ante este resultado, que parece surgido de la nada: prepárese un conjunto de esferitas que sean sin embargo enormes comparadas con simples moléculas, úsense un cronógrafo y un microscopio, y hállese el número de Avogadro». Además la expresión (I.72) a la que nos seguimos refiriendo «es el primer caso de una relación fluctuación-disipación: una fluctuación cuadrática media queda vinculada con un mecanismo disipativo descrito fenomenológicamente mediante el parámetro viscosidad».[73]

El resto de los trabajos de Einstein sobre el movimiento browniano lo constituyen aclaraciones, refinamientos, generalizaciones y, en no poca medida, consideraciones sobre sus resultados para, como él mismo indicaba en uno de ellos, «facilitar a los físicos que tratan el problema experimentalmente la interpretación de sus observaciones y la comparación de éstas con la teoría».[74]

Una aclaración que nos parece de sumo interés se refiere a los límites de aplicación de la famosa fórmula (I.72) y se encuentra en un trabajo principalmente dedicado a generalizar los resultados obtenidos al caso de movimientos de rotación para las partículas suspendidas.[63] Einstein afirmaba explícitamente que aquella expresión para el desplazamiento cuadrático medio no puede aplicarse a intervalos de tiempo arbitrariamente pequeños, ya que ello implicaría velocidades instantáneas infinitamente grandes, como se comprueba trivialmente al hallar λ_x/t. El mismo aclaraba:

> «La razón [para no poder aplicar la teoría a intervalos de tiempo arbitrariamente pequeños] está en que hemos supuesto implícitamente en nuestro desarrollo que los sucesos durante el tiempo t se han de considerar como fenómenos independientes de los sucesos ocurridos en el [intervalo de] tiempo precedente. Pero esta hipótesis resulta tanto más difícil de justificar cuanto más pequeño se haya escogido el tiempo t».[75]

Es decir, la teoría de Einstein se ha de aplicar a procesos susceptibles de ser idealizados matemáticamente en el sentido de considerar fenómenos tales que los sucesos en cualquier instante son independientes de los sucesos en otro tiempo. Son los que actualmente se conocen como «procesos de Markov»: la difusión de un sistema de muchas partículas se estudia en base a la hipótesis del movimiento aleatorio de cada una de ellas.

No quisiéramos terminar esta breve exposición de la teoría de Einstein sobre el movimiento browniano sin comentar otra de sus agudas observaciones; figura en un artículo publicado en 1907, al que ya nos hemos referido,[74] dedicado exclusivamente a la puntualización de tres aspectos de sus trabajos anteriores. Según la teoría molecular del calor, el valor de la velocidad cuadrática media de una partícula browniana de masa m viene dado por la relación

$$m \frac{\overline{v^2}}{2} = \frac{3}{2} \frac{RT}{N} \qquad (I.73)$$

La aplicación de esta fórmula a soluciones coloidales de platino proporciona una velocidad (raíz cuadrada de la velocidad cuadrática media) de 8,6 cm/seg, resultado muy superior a los detectados experimentalmente ya en esa época. ¿Cómo resolver el enigma?

La solución propuesta por Einstein, como en otras muchas ocasiones, sorprende por su sencillez. La velocidad que figura en (I.73) no es observable, en forma alguna, debido al rápido amortiguamiento que ejerce el líquido viscoso. La fórmula de Stokes, para este mismo caso de partículas de platino suspendidas en agua, prevé una reducción de la velocidad a 1/10 de su valor en $3{,}3 \cdot 10^{-7}$ seg. Pero la partícula, al mismo tiempo, está recibiendo nuevos impulsos en virtud de un efecto inverso al de la viscosidad. Precisamente la velocidad deducible a partir de (I.72), y no la que figura en (I.73), es la que engloba los dos efectos contrapuestos, por lo cual representará adecuadamente los resultados de las observaciones. Así se explica por qué los esfuerzos de los experimentalistas, que en esa época reflejaban sus conocimientos sobre la teoría cinética casi únicamente en la aplicación superficial del principio de equipartición de la energía, no lograban conciliar las observaciones con las previsiones teóricas: confundían ambas velocidades, la deducible a partir de (I.72) y la (I.73), siendo aquella primera la única que representaba una magnitud ciertamente medible. Resulta éste un ejemplo ilustrativo, interesante para el estudio de la interconexión conocimiento-experimentación, de cómo un desacuerdo absoluto entre teoría y observación puede estar motivado, no por la falta de validez de aquélla ni por el error en ésta, sino por una inadecuación entre la magnitud tratada teóricamente y la supuesta imagen experimental.

Aunque no entra dentro del campo de nuestro interés, centrado en las aportaciones einsteinianas, hay que dejar constancia de que poco después de la publicación del primer trabajo de Einstein sobre el movimiento browniano,[6] publicado el 18 de julio de 1905 a los dos meses escasos de su recepción en *Annalen,* apareció, ya en 1906, un trabajo del físico polaco Marian von Smoluchowski, en el que tras citar el trabajo de Einstein presentaba otro método, en su opinión más sencillo (el cálculo combinatorio era la herramienta matemática esencial), para obtener los mismos resultados. Estos se generalizaban en el nuevo trabajo al caso en que la partícula browniana estuviera sometida a una fuerza elástica adicional. El lector interesado podrá encontrar una exposición sintetizada de las contribuciones de Smoluchowski, así como referencias al contexto histórico en que se produjeron, en el libro de Brush citado anteriormente (véase referencia 28).

8

Confirmación experimental de la teoría de Einstein sobre el movimiento browniano

Para la fundamentación definitiva de la mecánica estadística resultaba imperiosa la confirmación de la hasta entonces supuesta constitución atómica de la materia. Una forma de refrendar experimentalmente la validez de tan necesaria hipótesis era verificar mediante observaciones directas los principales resultados de la teoría de Einstein sobre el movimiento browniano.

El físico francés Jean Perrin ha pasado a la historia, entre otras razones, por ser el autor de la confirmación experimental de la validez de la teoría de Einstein, en virtud de experiencias por él realizadas en 1908 y 1909. También Perrin comenzó a interesarse por el problema al considerarlo un campo apropiado para, en base a un montaje experimental, llegar a demostrar la licitud de la hipótesis atomística de la cual era un decidido partidario, posiblemente influido por los resultados de sus previas investigaciones sobre los rayos catódicos y sus propiedades. Perrin no se dejó convencer por las críticas de algunos contemporáneos de prestigio acerca de la hipótesis molecular en general y sobre la teoría cinética en particular. El sincronismo entre su pensamiento y el de Einstein, si bien éste mucho más abstracto, se percibe claramente, por ejemplo, en este párrafo en el que Perrin argumenta contra los que piensan que la reversibilidad microscópica —que toda teoría molecular ha de incorporar como base— jamás podrá reconciliarse con la irreversibilidad macroscópica universalmente observada:

«Si se repara en todos los maravillosos descubrimientos que debemos a la hipótesis molecular, él [se refiere a Lippmann, al que toma como referente de la posición crítica ante la hipótesis atómica] podría dudar entre apoyar o no esta posición radical. Pero puesto que no hay prueba directa de la existencia de moléculas, él [Lippmann] sólo puede proceder por razones estéticas si no ha conseguido demostrar mediante pruebas empíricas que el segundo principio [de la termodinámica] no tiene el carácter de rigor absoluto, en nombre del cual se sacrificarían las teorías moleculares. Vamos a tratar de demostrar que tales pruebas existen.

»Brevemente, vamos a demostrar que observaciones suficientemente cuidadosas revelan que en cada instante, en una masa de fluido, existe una agitación espontánea irregular que no puede ser reconciliada con el principio de Carnot excepto, justamente, si se admite que este principio tiene el carácter probabilístico que la hipótesis molecular nos sugiere».[76]

Por supuesto, la prueba aportada por Perrin contra la generalidad de la termodinámica consistió en la posibilidad de obtener trabajo mecánico a partir del movimiento browniano mediante la construcción ingeniosa de un móvil perpetuo de segunda especie (el que, trabajando por ciclos, no produce otro efecto que la transformación íntegra en trabajo del calor extraído de un *reservoir*), contra lo prescrito por la segunda ley.

Perrin creía, parcialmente sobre la base de los resultados de sus experimentaciones, en una realidad material cuya homogeneidad y continuidad eran tan sólo aspectos superficiales que no podían enmascarar, ante los ojos de un fino observador, la discontinuidad íntima de todo comportamiento microscópico. Es fácil intuir el gran atractivo que para él debía de tener la posibilidad de someter a una prueba experimental sólida la teoría de Einstein sobre el movimiento browniano: un resultado indiscutiblemente positivo serviría para establecer limitaciones al rango de validez de la termodinámica y para barrer cualquier tipo de objeción contra teorías moleculares. Una serie de experimentos realizada por Perrin en 1908 con partículas de ciertas resinas colorantes, llevó a la primera confirmación de la teoría de Einstein. Demostró la validez de la fórmula (I.70), aunque en otra versión más apta para su verificación en la experiencia propuesta. Trató de comprobar la validez de

$$dw = \text{cte. } e^{-Nv(\rho-\rho_0)gx/RT}\, dx \qquad (I.74)$$

donde se expresa la distribución de probabilidad para la distancia vertical x, contada desde el fondo del recipiente, de partículas brownianas de densidad ρ y de volumen v, suspendidas en un líquido de densidad ρ_0, con aceleración de la gravedad dada por g. La expresión (I.74) figuraba en un trabajo de Einstein de 1906 al que ya nos hemos referido anteriormente.[77]

La teoría de Einstein se cumplía aceptablemente tomando para el número de Avogadro N el valor más usual suministrado entonces por la teoría cinética: $7 \cdot 10^{23}$. Variando el tipo de partículas y de medios de suspensión se obtenían valores de N comprendidos entre $5{,}5 \cdot 10^{23}$ y $8{,}0 \cdot 10^{23}$.[78] La determinación del valor de N fue un objetivo muy perseguido, utilizando distintos procedimientos, durante la década siguiente[79] y sucesivas, hasta llegar al resultado $N \cong 6{,}02 \cdot 10^{23}$ actualmente admitido.[80] En cualquier caso, los experimentos de Perrin se prolongarían durante parte del año 1909 y sus resultados le llevaron a afirmar en 1910:

> «Creo que es imposible que una mente libre de todo prejuicio pueda reflexionar sobre la extrema diversidad de los fenómenos que convergen así hacia el mismo resultado [determinación del número de Avogadro desde dominios tan dispares como la radiactividad, el movimiento browniano, la fórmula de Planck, etc.], sin experimentar una fuerte impresión, y pienso que de ahora en adelante será difícil defender, con ar-

gumentos racionales, una actitud hostil hacia las hipótesis moleculares».[81]

En resumen, hacia 1909, los resultados de los experimentos de Perrin sobre el movimiento browniano (por los que recibió el premio Nobel de Física de 1926) suministraron un soporte decisivo a la hipótesis molecular y, por tanto, al pilar que faltaba para asentar definitivamente a la mecánica estadística entre las disciplinas clásicas de la física.

La conversión al atomismo hacia 1909, tras la comprobación experimental por Perrin de la teoría de Einstein del movimiento browniano, fue prácticamente general. En virtud de su militancia activa contra el atomismo primero, y por ser un ejemplo significativo de conversión radical posterior a la nueva doctrina, recogemos dos elocuentes textos de W. Ostwald, separados tan sólo tres años en el tiempo:[82]

«... como he venido manteniendo durante los últimos diez años ... [la teoría molecular] ... debe ser sustituida por otra teoría, a la que se ha dado en llamar *energética* ... La cuestión sobre la identidad o no identidad de las diferentes porciones de agua carece de sentido, puesto que no hay medio de aislar los componentes individuales del agua e identificarlos ... los átomos son tan sólo objetos hipotéticos...».

(Harvard, 1906)

«*He quedado plenamente convencido de que recientemente hemos llegado a la posesión de la prueba experimental de la naturaleza discreta o granular de la materia que la hipótesis atómica ha venido buscando en vano durante siglos, incluso milenios...* y el acuerdo de los movimientos brownianos con las predicciones de la teoría cinética, que ha sido demostrado por una serie de investigadores, principalmente por J. Perrin, justifica que incluso los científicos más cautelosos hablen de la prueba *experimental* de la naturaleza atomística de la materia que llena el espacio. La que hasta ahora se ha venido llamando hipótesis atomística queda por tanto elevada al nivel de teoría bien fundamentada, la cual, entonces, merece su sitio en todo libro de texto que aspire a ser una introducción a la química general».

(Leipzig, 1909)

No quisiéramos acabar esta sucinta exposición sobre la teoría einsteiniana del movimiento browniano sin hacer una ligera referencia a otro físico antiatomista declarado, E. Mach, quien, en 1909, y a pesar de estar directamente informado por el propio Einstein del estado del problema, continuaba manteniendo una posición personal totalmente cerrada a cualquier discusión que cuestionara la validez general de la termodinámica. Para Mach, el atomismo aún continuaba siendo una mera hipótesis de trabajo, posiblemente muy fructífera, pero sin relación demostrada con propiedades íntimas de la realidad física. Esta postura, ya adoptada casi cuarenta años antes, frente a la interpretación estadística de Boltzmann del segundo principio, fúe obstinadamente mantenida ante Einstein y Planck, quienes aparentemente no lograron convencerle jamás de la evidencia atomística.

En relación con este tema, y como punto de meditación que nos parece interesante para todo aquel que se relacione directamente con la ciencia, reproducimos aquí el juicio que le merecieron a Einstein las posturas iniciales de Ostwald y Mach ante las posibles conclusiones deducibles de su explicación del movimiento browniano. Esta opinión aparece serenamente reflejada en sus notas autobiográficas, redactadas cuarenta años después de los acontecimientos que hemos comentado:

«El acuerdo entre estas consideraciones [la teoría del movimiento browniano] y la experimentación, junto con la determinación que Planck hizo sobre las dimensiones moleculares verdaderas a partir de la ley de radiación (para altas temperaturas) sirvieron para convencer a los escépticos, que eran muy numerosos por aquellos tiempos (Ostwald, Mach) de la realidad de los átomos. La antipatía de estos maestros hacia la teoría atómica puede achacarse indudablemente a su postura filosófica positivista. Es éste un ejemplo interesante del hecho de que, incluso maestros de espíritu audaz y fino instinto, pueden quedar bloqueados, a causa de prejuicios filosóficos, ante la interpretación de determinados hechos. El prejuicio, que no se ha extinguido con el paso del tiempo, consiste en la creencia de que los hechos por sí mismos pueden y deben proporcionar conocimiento científico sin la participación de ninguna construcción conceptual libre. Tal concepción errónea es posible sólo porque no se es fácilmente consciente de la libre elección de tales conceptos, los cuales, por su validez y uso prolongado, aparecen como inmediatamente conectados con el material empírico».[83]

Referencias y notas del Capítulo I

1. BORN, M.: «Einstein's Statistical Theories», en *Albert Einstein: Philosopher-Scientist,* P. A. Schilpp (ed.), The Library of Living Philosophers, Cambridge University Press, Londres, 1970, pág. 163. Primera edición en 1949.
2. EINSTEIN, A.: «Kinetische Theorie des Wärmegleichgewichtes und des zweiten Hauptsatzes der Thermodynamik», *Annalen der Physik 9,* 1902, págs. 417-433.
3. EINSTEIN, A.: «Eine Theorie der Grundlagen der Thermodynamik», *Annalen der Physik 11,* 1903, págs. 170-187.
4. EINSTEIN, A.: «Zur allgemeinen molekularen Theorie der Wärme», *Annalen der Physik 14,* 1904, págs. 354-362.
5. GIBBS, J. W.: *Elementary Principles in Statistical Mechanics,* Yale University Press, 1902. Reimpreso por Ox Bow Press, Woodbridge, Connecticut, EEUU, 1981.
6. EINSTEIN, A.: «Über die von molekular-kinetischen Theorie der Wärme geforderte Bewegung von in ruhenden Flüssigkeiten suspendierten Teilchen», *Annalen der Physik 17,* 1905, págs. 549-560. Hay versión inglesa de A. D. Cowper en A. Einstein: *Investigations on the Theory of the Brownian Movement,* R. Fürth (ed.), Dover, Nueva York, 1956. En este volumen se recogen los cinco trabajos principales de Einstein en torno al movimiento browniano. El primero de ellos es el fundamental. El tercero constituyó su tesis doctoral. La primera edición de R. Fürth es de 1926.
7. EHRENFEST, P. y T.: *The Conceptual Foundations of the Statistical Approach in Mechanics.* El trabajo original se publicó en alemán en *Encyklopädie der mathematischen Wissenschaften,* B. G. Teubner (ed.), Leipzig, 1912. La traducción inglesa de M. J. Moravcsik fue publicada en 1959 por Cornell University Press. Los apartados 25 y 26, a los que nos hemos referido, figuran entre las páginas 64-70 de la traducción.
8. TOLMAN, R. C.: *The Principles of Statistical Mechanics,* Oxford University Press, Londres, 1938.
9. PATHRIA, R. K.: *Statistical Mechanics,* Pergamon Press, Oxford, 1986.
10. EINSTEIN, A.: «Bemerkungen zu den P. Hertzschen Arbeiten: "Über die mechanischen Grundlagen der Thermodynamik"», *Annalen der Physik 34,* 1911, pág. 175.
11. *Ibid.,* pág. 176.
12. MEHRA, J.: «Einstein and the Foundation of Statistical Mechanics», *Physica 79A,* 1975, págs. 447-477.
13. PAIS, A.: *«Subtle is the Lord...» The Science and the Life of Albert Einstein,* Oxford University Press, Londres, 1982. Hay versión castellana de F. Alsina: *«El Señor es Sutil...» La Ciencia y la Vida de Albert Einstein,* Ariel, Methodos, Barcelona, 1984, caps. 4-5.
14. BARACCA, A. Y RECHTMAN S, R.: «Einstein's Statistical Mechanics», *Revista Mexicana de Física 31,* 1985, págs. 695-722.

15. KLEIN, M. J.: «The Beginnings of the Quantum Theory», en *History of Twentieth Century Physics,* Proceedings of the International School of Physics «Enrico Fermi», Course LVII, Ch. Weiner (ed.), Academic Press, Nueva York, 1977, págs. 1-39.
16. PAIS, A.: «Einstein and the Quantum Theory», *Reviews of Modern Physics 51,* 1979, págs. 863-914.
17. NAVARRO, L.: «El Papel de la Mecánica Estadística en la Evolución del Concepto de Quantum de Radiación en Einstein (1905-1916)», en *Història de la Física,* Actes de les Trobades Científiques de la Mediterrània, Maó, 1987, L. Navarro (ed.), CIRIT, Barcelona, 1988, págs. 119-129.
18. Entrevista citada por J. MEHRA en ref. 12, pág. 474.
19. EINSTEIN, A.: *Ibid.,* 1902, véase ref. 2, pág. 421.
20. *Ibid.,* pág. 427.
21. BOLTZMANN, L.: *Vorlesungen über Gastheorie,* Leipzig, parte I: 1896; parte II: 1898. Traducción inglesa de S. G. Brush: *Lectures on Gas Theory,* University of California Press, 1964. Einstein cita en concreto los apartados 32, 33, 34, 37 y 42 de la parte II.
22. EINSTEIN, A.: *Ibid.,* 1902, véase ref. 2, pág. 432.
23. *Ibid.,* pág. 433.
24. *Ibid.,* pág. 433. El párrafo reproducido constituye el décimo y último apartado del trabajo de 1902.
25. EINSTEIN, A.: Carta a M. Besso, enero de 1903, en *Albert Einstein, Correspondance avec Michele Besso 1903-1955,* P. Speziali (ed.), Hermann, París, 1979, pág. 3. La boda de Einstein con Mileva Marić, su antigua compañera de estudios, tuvo lugar el 6 de enero de 1903. Por supuesto, el trabajo al que hace referencia en esta carta a M. Besso es el de 1903 (véase ref. 3).
26. EINSTEIN, A.: *Ibid.,* 1903, véase ref. 3, pág. 170.
27. *Ibid.,* pág. 171.
28. BOLTZMANN, L.: «Einige allgemeine Sätze über Wärmegleichgewicht», *Sitzungsberichte der Akademie der Wissenschaften, Mathematisch-Naturwissenschaftliche Klasse, Wien 63,* 1871, pág. 679. El párrafo al que nos hemos referido aparece textualmente en S. G. Brush: *The Kind of Motion we Call Heat,* vol. 2, North-Holland, Amsterdam, 1976, pág. 366. Para una amplia referencia y documentación en relación a los orígenes del problema ergódico pueden consultarse las secciones 10.10 y 10.11 del libro de Brush. También se puede consultar en este libro, págs. 367-377, la pequeña historia del vocablo «ergódico», introducido por Boltzmann en 1884.
29. MAXWELL, J. C.: «On Boltzmann's Theorem on the Average Distribution of Energy in a System of Material Points», *Transactions of the Cambridge Philosophical Society 12,* 1879, págs. 547-570. El párrafo al que nos hemos referido aparece citado en S. G. Brush, 1976, véase ref. 28, pág. 366.
30. NAVARRO, L. Y PARRA, J. M.: «Ergodicidad en Mecánica Estadística», *Treballs de Física 1,* 1981, págs. 9-81.
31. MAXWELL, J. C.: *Ibid.,* 1879, véase ref. 29, pág. 367.
32. EINSTEIN, A.: *Ibid.,* 1903, véase ref. 3, pág. 172.
33. *Ibid.,* pág. 176.
34. *Ibid.,* pág. 178.
35. *Ibid.,* pág. 182.
36. GIBBS, J. W.: *Ibid.,* 1902, véase ref. 5, pág. 115 de la reimpresión. En la pág. 34 se define previamente la distribución canónica, de la cual la microcanónica se considera un caso límite.
37. EINSTEIN, A.: *Ibid.,* 1903, véase ref. 3, pág. 184.
38. BARACCA, A. Y RECHTMAN S. R.: *Ibid.,* 1985, véase ref. 14, pág. 712.
39. KLEIN, M. J.: «Fluctuations and Statistical Physics in Einstein's Early Work», en *Albert Einstein, Historical and Cultural Perspectives,* G. Holton y Y. Elkana (eds.), Princeton University Press, Princeton, 1982, pág. 41.

40. PATHRIA, R. K.: *Ibid.*, 1986, véase ref. 9, pág. 12. El equilibrio queda caracterizado en base a una hipótesis equivalente a la de Einstein.
41. BALIAN, R.: *Du Microscopique au Macroscopique,* 2 vols., Ecole Polytechnique, París, 1982, págs. 115-121 del primer volumen. La justificación de la hipótesis sobre la que descansa la noción de equilibrio se apoya en la teoría de la información.
42. EINSTEIN, A.: *Ibid.*, 1903, véase ref. 3, pág. 186.
43. *Ibid.*, pág. 187.
44. EINSTEIN, A.: *Ibid.*, 1904, véase ref. 4, pág. 354.
45. *Ibid.*, pág. 357.
46. GIBBS, J. W.: *Ibid.*, 1902, véase ref. 5, pág. 81 de la reimpresión.
47. MEHRA, J.: *Ibid.*, 1975, véase ref. 12, pág. 465.
48. EINSTEIN, A.: *Ibid.*, 1904, véase ref. 4, pág. 361.
49. *Ibid.*, pág. 362.
50. BRUSH, S. G.: *Ibid.*, 1976, véase ref. 28, pág. 657. El capítulo 15 de este segundo volumen contiene una descripción detallada del proceso histórico que nosotros hemos resumido, así como una abundante y detallada bibliografía al respecto.
51. Citado en BRUSH, S. G.: *Ibid,* 1976, véase ref. 28, pág. 663.
52. BRUSH, S. G.: *Ibid.*, 1976, véase ref. 28, pág. 665.
53. POINCARE, J. H.: en *Congress of Arts and Science, Universal Exposition, St. Louis, 1904,* Houghton, Mifflin and Co., Boston, 1905; citado por S. G. Brush en ref. 28, pág. 670.
54. FRENCH, A. P.: (ed.), *Einstein, a Centenary Volume,* Heinemann, Londres, 1979.
55. STACHEL, J.: (ed.), *The Collected Papers of Albert Einstein,* vol. 1, *The Early Years, 1879-1902,* Princeton University Press, Princeton, 1987, pág. 331.
56. EINSTEIN, A.: Carta a M. Besso, enero de 1903, véase ref. 25, pág. 4.
57. HOFFMANN, B.: *Albert Einstein,* Collins Publishing Group, Londres, 1986, pág. 55.
58. BORN, M.: *Ibid.*, 1970, véase ref. 1, pág. 166.
59. CAWKELL, T. y GARFIELD, E.: en *Einstein, the First Hundred Years,* M. Goldsmith, A. McKay y J. Woudhuysen (eds.), Pergamon Press, Londres, 1980. Los datos citados por nosotros aparecen reproducidos en la ref. 13, pág. 102 de la versión castellana.
60. WAX, N.: (ed.), *Selected Papers on Noise and Stochastic Processes,* Dover, Nueva York, 1954.
PORT, S. C. y STONE, CH. J.: *Brownian Motion and Classical Potential Theory,* Academic Press, Nueva York, 1978.
61. BARTHOLOMEW, D. J.: *Stochastic Models for Social Processes,* J. Wiley, Londres, 1973.
62. EINSTEIN, A.: *Ibid.*, 1905, véase ref. 6, pág. 1 de la recopilación de R. Fürth.
63. EINSTEIN, A.: «Zur Theorie der Brownschen Bewegung», *Annalen der Physik 19,* 1906, págs. 371-381. Reproducido en la recopilación de R. Fürth, véase ref. 6, págs. 19-35.
64. EINSTEIN, A.: *Ibid.*, 1970, véase ref. 1, pág. 47.
65. KRÖNIG, A. K.: Citado en ref. 9, pág. 2.
66. EINSTEIN, A.: *Ibid,* 1905, véase ref. 6, pág. 3 de la recopilación de R. Fürth.
67. *Ibid.*, pág. 9.
68. EINSTEIN, A.: Carta a M. Marić, 1 de agosto de 1900, véase ref. 55, pág. 249.
69. BRUSH, S. G.: *Ibid.*, 1976, véase ref. 28, pág. 679.
70. *Ibid.*, pág. 680.
71. EINSTEIN, A.: *Ibid.*, 1905, véase ref. 6, pág. 12 de la recopilación de R. Fürth.
72. *Ibid.*, pág. 17.
73. PAIS, A.: *Ibid.*, 1982, véase ref. 13, pág. 109 de la versión castellana.
74. EINSTEIN, A.: «Theoretische Bemerkungen über die Brownsche Bewegung», *Zeitschrift für Elektrochemie 13,* 1907, pág. 41. Reproducido en la recopilación de R. Fürth, véase ref. 6, pág. 63.

75. EINSTEIN, A.: *Ibid.,* 1906, véase ref. 63, pág. 34 de la recopilación de R. Fürth.
76. PERRIN, J.: Conferencia dada en la Société de Philosophie en 1906. Incluida en *Oeuvres Scientifiques de Jean Perrin,* Centre National de la Recherche Scientifique, París, 1950, pág. 68. El párrafo citado aparece también en el libro de S. G. Brush, véase ref. 28, pág. 694.
77. EINSTEIN, A.: *Ibid.,* 1906, véase ref. 63, pág. 27 de la recopilación de R. Fürth.
78. FÜRTH, R.: *Ibid.,* 1956, véase ref. 6, pág. 109. Fürth se refiere a N como al «número de Loschmidt». Einstein no asoció en sus trabajos N a ningún nombre propio. Nosotros nos hemos referido al «número de Avogadro» por ser ésta la notación actual más extendida.
79. *Ibid.,* págs. 116-117.
80. COHEN, E. R., y TAYLOR, B. N.: «The 1986 Adjustment of the Fundamental Physical Constants», *Reviews of Modern Physics 59,* 1987, pág. 1139.
81. PERRIN, J.: Citado en ref. 13, pág. 108 de la versión castellana.
82. OSTWALD, W.: Párrafos citados por S. G. Brush en ref. 28, págs. 698-699.
83. EINSTEIN, A.: *Ibid.,* 1970, véase ref. 1, pág. 49.

Berlín, 1930.
Cortesía de Ullstein Bilderdienst (B87).

Capítulo II

Teoría cuántica de la radiación (1905-1916)

«Un total de cincuenta años de especulación consciente no me ha acercado a la respuesta a la cuestión "¿qué son los *quanta* de luz?". Es cierto que hoy día cualquier bribón [*Lamp*] cree saber la respuesta, pero se equivoca.»

EINSTEIN, 1951[1].

1
Introducción

Existe un conocido trabajo de M. J. Klein[2] en el que se destaca el especialísimo papel jugado por la termodinámica en la búsqueda constante por parte de Einstein, de una fundamentación unificada para la física en general y para la teoría cuántica de los primeros tiempos en particular. En el presente capítulo nosotros proponemos un punto de vista esencialmente diferente para analizar la evolución del pensamiento de Einstein en torno al *quantum* de luz. Anticipando parte de las conclusiones, podemos adelantar que la nueva imagen que sugerimos se diferencia de la de Klein precisamente en el papel crucial que nosotros asignamos a la mecánica estadística. Dado que la mecánica estadística se puede tomar como fundamento de la termodinámica, aunque no es la única forma de concebir el significado de ambas disciplinas, conviene insistir en la novedad que nuestro punto de vista representa.

En el trabajo de Klein, a pesar de su escasa extensión, se pasa revista a una serie de contribuciones de Einstein en diferentes campos (fluctuaciones, efecto fotoeléctrico, movimiento browniano, radiación del cuerpo negro y móviles perpetuos) destacando la influencia que en todos estos casos jugó su concepción de la termodinámica clásica como una teoría de gran campo de aplicabilidad a pesar de la simplicidad de sus premisas. Ello la hacía aparecer, en opinión de Einstein, como un candidato adecuado para acompañar cualquier intento de búsqueda de fundamentos unificados para toda la física.

En este capítulo, por el contrario, nos hemos marcado unos objetivos bien distintos. Con el pretexto de una revisión histórica del desarrollo de la teoría cuántica de Einstein, vamos a poner de manifiesto un elemento de continuidad notable, hasta ahora no suficientemente señalado, en la evolución del concepto del *quantum* einsteiniano hasta 1916. Pretendemos demostrar que este elemento lo constituye la concepción que Einstein tenía de la mecánica estadística como la metodología apropiada para explicar el comportamiento macroscópico (es decir, termodinámico) sobre la base del comportamiento microscópico de los constituyentes elementales de todo sistema complejo.

Es necesario insistir en la diferencia radical que existe entre termodinámica y mecánica estadística (y por tanto, entre algunos puntos aparentemente comunes al trabajo de Klein y al nuestro) al nivel en el que estamos interesados. La termodinámica es lo que Einstein llamó una «teoría de principio» pues parte de propiedades generales sobre fenómenos observados y deduce resultados aplicables a un amplio marco de sistemas sin hacer ningún tipo de hipótesis sobre eventuales constituyentes elementales. En cierta medida, la mecánica estadística opera en dirección opuesta, pues parte de la hipótesis de existencia de constituyentes elementales cuyo comportamiento condiciona el del todo. El método matemático apropiado lo proporciona la teoría de la probabilidad; se podría escribir la siguiente igualdad simbólica:

física del microcosmos + teoría de la probabilidad =
física del macrocosmos

De esta forma, la teoría de la probabilidad aparece en mecánica estadística como un simple método matemático sin ninguna relación con la física del microcosmos. Física y matemáticas (principio y método) se combinan así, a pesar del diferente significado conceptual, para dar lugar a la mecánica estadística.

Precisamente un objetivo esencial de este capítulo va a consistir en poner de manifiesto la gran continuidad que se observa en la evolución de las posiciones einsteinianas acerca de la radiación del cuerpo negro si adoptamos, como trataremos de demostrar que hizo Einstein, una actitud mecánico-estadística (no termodinámica en el sentido antes explicado) ante las situaciones, los problemas y las vías de solución en el campo que nos ocupa. En particular, la aproximación, la participación y el distanciamiento de Einstein respecto de la teoría cuántica veremos que pueden explicarse, con alto grado de verosimilitud, como un proceso continuo de evolución y no como una serie de episodios más o menos relacionados. El elemento de continuidad que proponemos lo constituye precisamente el papel asignado a la mecánica estadística dentro de la física.

En nuestra búsqueda de este elemento de continuidad no vamos a partir de la primera gran aportación de Einstein a la teoría cuántica (el famoso artículo de 1905 en el que, utilizando una terminología habitual impropia, «se explica el efecto fotoeléctrico»).[3] Creemos preferible comenzar por resaltar las motivaciones que llevaron a Einstein a dirigir su atención hacia el problema de la interacción radiación-materia, un tema aparentemente desconectado de los que con anterioridad le habían interesado.

2
Antecedentes del artículo de 1905

Einstein publicó entre 1902 y 1904, como hemos visto en el capítulo anterior, tres artículos cuyo objetivo final era la adecuada fundamentación de la termodinámica, tomando como base la mecánica clásica para describir el comportamiento de los constituyentes del sistema termodinámico y utilizando la teoría de la probabilidad como herramienta esencial.[4,5,6] El problema no era nuevo: lo había abordado Boltzmann unos treinta años antes, en un intento por explicar la irreversibilidad (y por caracterizar la entropía) partiendo de una estructura molecular de la materia, y en 1902 acababa de aparecer el famoso libro de Gibbs con objetivos similares.[7]

La simple inspección de fechas sugiere el desconocimiento que Einstein debía de tener del trabajo de Gibbs, y ello se confirma si se recuerdan (ver la Introducción del Capítulo I) afirmaciones posteriores del propio Einstein en las que sostiene que, de haber conocido la obra de Gibbs, no hubiera publicado los tres artículos antes mencionados. Sí parecía estar más al corriente de las ideas de Boltzmann. Lo cierto es que Einstein creó su propia mecánica estadística, en la que se proporcionaban bases mecanicistas para la entropía y para la temperatura; además, dio una justificación microscópica del segundo principio de la termodinámica e introdujo la distribución canónica. Para nuestros objetivos, el artículo de 1904,[6] el último del famoso trío, es el que contiene los elementos que más nos interesa resaltar. La última parte del mismo (como vimos en el cuarto apartado del Capítulo I) está dedicada al análisis de la constante universal que aparece como estrella central de la teoría, pues interviene tanto en la expresión de la entropía como en la distribución canónica y, como consecuencia, en el principio de equipartición. (Recordemos que la constante que aparece en los trabajos originales es en realidad la mitad de la que hoy llamamos constante de Boltzmann.)

Un sencillo cálculo mediante la distribución canónica, que hoy conoce cualquier estudiante de un primer curso de mecánica estadística, permitió a Einstein deducir el valor de la fluctuación cuadrática media de la energía:

$$\overline{\varepsilon^2} = \overline{E^2} - \overline{E}^2 = kT^2 \frac{d\overline{E}}{dT} \qquad \text{(II.1)}$$

(k representa la constante de Boltzmann y T la temperatura absoluta). Esta expresión da una relevancia adicional a la constante universal k porque, como el mismo Einstein escribió en el artículo, «... determina entonces la estabilidad térmica del sistema»;[8] es decir, caracteriza la escala de las fluctuaciones.

Ciertamente, Einstein no fue el primero en referirse a fluctuaciones ni en deducir la expresión (II.1). Boltzmann y Gibbs fueron conscientes de la existencia de fluctuaciones, pero pensaron que se trataba de un resultado inapreciable en condiciones normales, dado el carácter macroscópico de los sistemas objeto de estudio. Einstein, en cambio, fue el primero en considerar la relevancia de las fluctuaciones tanto desde un punto de vista práctico (se podría llegar a medir experimentalmente la constante k y, a partir de ella, el número de Avogadro N relacionado con k a través de la constante de los gases R mediante la expresión $N \cdot k = R$), como desde un punto de vista más fundamental, pues permitiría introducirse con propiedad en el inexplorado campo de la estabilidad.

Parece natural que, en la línea expuesta, el paso siguiente dado por Einstein consistiera en la búsqueda de algún sistema físico apropiado para detectar en él las fluctuaciones de energía a las que se refiere la fórmula (II.1). Así fue, y hemos visto en el capítulo anterior cómo en el mismo artículo Einstein propuso su candidato: la radiación en equilibrio en una cavidad vacía cuyas paredes se mantuvieran a temperatura constante. En este sistema, las fluctuaciones sólo podrían deberse a interferencias entre las ondas del campo de radiación. Un sencillo razonamiento, incluido en la última sección del citado trabajo de 1904,[6] y que hemos expuesto en el capítulo anterior, le permitió llegar a la conclusión de que las fluctuaciones serían relevantes si las dimensiones de la cavidad fueran del orden de magnitud de la longitud de onda λ_m, para la cual el espectro de la radiación presenta su máximo relativo. Como λ_m es inversamente proporcional a la temperatura de la cavidad («ley del desplazamiento» de Wien), es posible pensar que en este problema las fluctuaciones podrían representar una línea de avance tanto en el de aplicaciones de la mecánica estadística (punto de partida einsteiniano) como en el del estudio del propio espectro de la radiación del cuerpo negro (punto de llegada).

Con la cadena que representa los sucesivos intereses de Einstein –mecánica estadística, determinación de k, problemas de fluctuaciones y espectro del cuerpo negro–, se pone de manifiesto que la motivación primaria para su dedicación al problema de la interacción radiación-materia radicaba en la mecánica estadística, recién inventada, que necesitaba determinados complementos (evaluación de la constante k, por ejemplo) para instalarse sólidamente entre las disciplinas en boga. En este sentido procede entender la siguiente afirmación de Kuhn:

> «Lo que llevó a Einstein al problema del cuerpo negro en 1904 y a la obra de Planck en 1906 fue la coherente elaboración de un programa de investigación iniciado en 1902, tan independiente del de Planck, que habría conducido casi con certeza hasta la ley del cuerpo negro, aunque Planck jamás hubiese existido».[9]

No obstante, existe un efecto secundario derivado de la motivación que impulsó a Einstein hacia la radiación electromagnética primero y hacia la teoría cuántica después que, pensamos, no ha sido suficientemente resaltado. Ocuparse de estudiar la radiación del cuerpo negro como colofón de un programa de investigación que perseguía la fundamentación de la mecánica estadística, imponía una metodología especial en el tratamiento del problema: el enfoque mecánico-estadístico de las situaciones, es decir, el intento de explicación en términos microscópicos. Este objetivo no pasaba de representar, en esa época, una remota posibilidad frente a otras opciones más viables, dado el grado de implantación de disciplinas tan consolidadas como la termodinámica (que parte de supuestos macroscópicos sin recurrir jamás al microcosmos) o el propio electromagnetismo de Maxwell.

No cabe duda de que una hipotética descripción mecánico-estadística de la interacción radiación-materia obliga a la búsqueda de posibles constituyentes elementales de la radiación (no sólo desconocidos sino impensables en aquellos tiempos) y de procesos elementales entre los mismos. Los constituyentes elementales, aunque no en su forma definitiva, se insinuaron ya en el trabajo de 1905,[3] si bien no se establecieron definitivamente, junto con los procesos elementales de emisión y absorción, hasta 1916-1917.[10] Hemos puesto de manifiesto en un trabajo anterior[11] que un precedente de estos procesos elementales puede localizarse en una contribución poco conocida de Einstein en 1912.[12]

No consta con absoluta certeza que la relación entre mecánica estadística y teoría de la radiación se ajustara por completo, en la mente de Einstein, al esquema que hemos señalado, pero parece muy plausible. Pensamos que alguna afirmación suya apunta claramente en esta dirección, como por ejemplo estas dos referencias tomadas de la autobiografía científica acerca de sus primeras impresiones sobre los trabajos de Planck:[13]

> «Por mi parte, en esa época, no estaba especialmente interesado por las distintas consecuencias que implicaban las ideas de Planck, por muy importantes que pudieran ser. Para mí la cuestión fundamental era

ésta: ¿qué conclusiones generales pueden extraerse de la fórmula de Planck que permitan aclarar *la estructura de la radiación* y, más aún, la base electromagnética de la física?».

Y, poco después, refiriéndose al éxito en su explicación del movimiento browniano:

> «A partir de esta comprobación, se podía establecer un método relativamente directo que permitiera obtener nuevas conclusiones sobre *la constitución de la radiación* desde la fórmula de Planck».

(En ambos párrafos la cursiva es nuestra.)

La utilización de expresiones tales como *estructura* o *constitución de la radiación,* pensamos, confirman el carácter mecánico-estadístico del programa einsteiniano de investigación de la interacción radiación-materia. Lo que nosotros pretendemos es poner de manifiesto que tal característica constituyó un fuerte elemento de continuidad en la evolución del pensamiento de Einstein, que ayuda a entender no sólo su tránsito por la teoría cuántica, sino también su distanciamiento de ella ante los derroteros que el desarrollo de ésta había de tomar unas dos décadas después.

No queremos dejar de resaltar la absoluta originalidad del programa einsteiniano, en clara oposición conceptual al seguido por Planck. En éste fueron las descripciones macroscópicas (termodinámicas) las que presidieron sus investigaciones relativas al cuerpo negro. Precisamente había dedicado unos quince años de su vida profesional a profundizar en el significado y en las consecuencias del segundo principio de la termodinámica (especialmente el concepto de irreversibilidad atrajo fuertemente su interés), atribuyendo a esta ley una validez absoluta (al estilo de Clausius) y no una validez estadística (al modo de Boltzmann). Curiosamente, fue la fundamentación del segundo principio lo que llevó a Planck a interesarse por el problema de la radiación, en franca contraposición a las motivaciones de Einstein antes expuestas. Si finalmente, como es notorio, Planck adoptó parcialmente los métodos de Boltzmann «en un acto de desesperación», lo hizo sobre la base de «hipótesis puramente formales» y *«ad hoc»* para llegar al resultado final (la ley de radiación), «a costa de lo que fuera».[14]

3
Sobre el artículo de 1905[3]

Lleva por título «Sobre un punto de vista heurístico referente a la emisión y a la transformación de la luz». Un concepto heurístico puede emplearse como ayuda práctica en la solución de un problema sin estar plenamente justificada su utilización. Curiosamente, medio siglo más tarde, Einstein seguía considerando la teoría cuántica como algo provisional, según es bien sabido. En la introducción del famoso trabajo aparece perfectamente delimitado el alcance de sus conclusiones, al mismo tiempo que el carácter claramente revolucionario de sus postulados:

> «Existe una distinción formal profunda entre los conceptos teóricos que los físicos han elaborado respecto a los gases y otros cuerpos ponderables y la teoría maxwelliana de los procesos electromagnéticos en el denominado espacio vacío. Mientras consideramos que el estado de un cuerpo queda completamente determinado por las posiciones y las velocidades de un número muy grande, aunque finito, de átomos y electrones, hacemos uso de funciones espaciales continuas para describir el estado electromagnético de un volumen dado, y un número finito de parámetros no pueden considerarse como suficientes para la determinación completa de un estado de tal naturaleza. De acuerdo con la teoría de Maxwell, la energía ha de considerarse una función espacial continua en el caso de cualquier fenómeno electromagnético, incluida la luz,

en tanto que la energía de un objeto ponderable, según las ideas actuales de los físicos, se representa como una suma sobre átomos y electrones. La energía de un cuerpo ponderable no puede ser subdividida indefinidamente en muchas pequeñas partes, mientras que la energía de un haz de luz que parte de una fuente (de acuerdo con la teoría maxwelliana de la luz o, más generalmente, de acuerdo con cualquier teoría ondulatoria) está esparcida continuamente en un volumen siempre creciente.

»La teoría ondulatoria de la luz, que opera con funciones espaciales continuas, ha funcionado bien al nivel de fenómenos puramente ópticos y probablemente nunca sea reemplazada por otra teoría. Debería tenerse presente, no obstante, que las observaciones ópticas se refieren a promedios temporales más que a valores instantáneos. A pesar de la total confirmación experimental de la teoría cuando se aplica a difracción, reflexión, refracción, dispersión, etc., resulta aún concebible que la teoría de la luz que opera con funciones espaciales continuas pueda llevar a contradicciones con la experiencia cuando se aplique a fenómenos de emisión y transformación de luz.

»Me parece que las observaciones asociadas a la radiación del cuerpo negro, a la fluorescencia, a la producción de rayos catódicos por luz ultravioleta y otros fenómenos parecidos relacionados con emisión o transformación de luz se entienden más propiamente si se supone que la energía de la luz está discontinuamente distribuida en el espacio. De acuerdo con la hipótesis que vamos a admitir en este trabajo, la energía de un rayo de luz que emerge desde un foco puntual no está continuamente distribuida sobre un espacio cada vez mayor, sino que consiste en un número finito de *quanta* de energía que están localizados en puntos del espacio, que se mueven sin dividirse, y que únicamente pueden ser producidos y absorbidos en unidades completas.

»En lo que sigue deseo presentar la línea de razonamiento y los hechos que me han conducido a este punto de vista, esperando que el método sea útil a algunos investigadores en su trabajo».

A pesar de la claridad en la exposición, quisiéramos efectuar algunos comentarios respecto de la anterior introducción. En primer lugar, hay que señalar el carácter verdaderamente revolucionario de la conclusión principal: la sugerida discontinuidad en la distribución espacial de la energía y en la emisión y absorción de luz. El término «revolucionario», que hemos empleado, fue utilizado por el propio Einstein como calificativo de su trabajo (y no lo empleó para referirse a ningún otro, ni siquiera a los dedicados a relatividad).[15] Vale la pena comparar con el siguiente comentario de Planck sobre la naturaleza de su hipótesis cuántica:

«Se trataba de una hipótesis puramente formal y ciertamente yo no le dediqué mucha atención; lo único que me interesaba, a toda costa, era llegar a un resultado positivo».[16]

Más que en el contraste entre las ideas de Planck y Einstein estamos interesados en señalar el incipiente programa mecánico-estadístico con que éste se acercó al problema de la radiación del cuerpo negro. En este sentido no podemos pasar por alto una frase de la introducción antes reproducida que, en nuestra opinión, señala una marcada tendencia, no hacia una teoría cuántica de la radiación, sino hacia una mecánica estadística de la radiación que había de desembocar en la primera. Es la referencia al carácter de promedio temporal asociado a las observaciones ópticas; dicha propiedad es la premisa con la que Einstein podía introducir los promedios sobre colectividades, característicos de la mecánica estadística, y asociarlos a las medidas de fenómenos ópticos. Todo ello implicaba una «estructura fina» subyacente que, promediando convenientemente, proporcionaría resultados de observaciones macroscópicas. El camino se había abierto según una línea mecánico-estadística pura; se trataba de encontrar primero los constituyentes elementales de la radiación y describir después lo más adecuadamente posible su comportamiento físico. Los métodos *standard* de la mecánica estadística (por ejemplo, la utilización de la colectividad canónica) harían el resto: proporcionar relaciones entre magnitudes físicas macroscópicas apropiadas para la descripción de la radiación del cuerpo negro. Como es sabido, el primer paso se dio en 1905, mientras que el último tardó once años en darse, si bien el camino no fue tan sinuoso como a simple vista podría parecer.

Tras la introducción, en el primer apartado del trabajo, Einstein comenzó poniendo de manifiesto una dificultad relativa al tratamiento clásico de la radiación, el que Planck afirmaba haber utilizado. El sistema considerado era una cavidad con paredes interiores completamente reflectantes conteniendo moléculas de gas, electrones libres (susceptibles de experimentar colisiones) y electrones ligados armónicamente a ciertos puntos (capaces de sufrir colisiones y también emitir y/o absorber radiación electromagnética). Según el razonamiento de Einstein, si hay equilibrio dinámico y no se pone ninguna limitación a la frecuencia de los osciladores (los electrones ligados), la radiación en dicho espacio debe ser idéntica a la llamada «radiación del cuerpo negro». El equilibrio entre gas y osciladores sólo se da, en virtud del principio de equipartición, si la energía media de un oscilador es

$$\overline{E} = \frac{R}{N} T \qquad \text{(II.2)}$$

(R es la constante de los gases, N el número de Avogadro y T la temperatura absoluta). El equilibrio entre los osciladores y la radiación presente en la cavidad imponía una energía media $\overline{E}_\nu$ para un oscilador de frecuencia ν dada por la expresión

$$\overline{E}_\nu = \frac{L^3}{8\pi\nu^2}\, \rho_\nu \qquad \text{(II.3)}$$

donde L representa la velocidad de la luz en el vacío y $\rho_\nu d\nu$ es la energía por unidad de volumen de la radiación con frecuencia comprendida en el intervalo (ν, $\nu+d\nu$).

El equilibrio completo en la cavidad impone que se satisfagan simultáneamente (II.2) y (II.3) con $\bar{E} = \bar{E}_\nu$, de donde se deduce la expresión

$$\rho_\nu = \frac{R}{N}\frac{8\pi\nu^2}{L^3}T \qquad \text{(II.4)}$$

Para Einstein este resultado era inaceptable, pues no sólo estaba en desacuerdo con los datos experimentales sino que resultaba conceptualmente inadmisible al introducir una divergencia en la energía para todo el arco de frecuencias:

$$\int_0^\infty \rho_\nu d\nu = \frac{R}{N}\frac{8\pi}{L^3}T\int_0^\infty \nu^2 d\nu = \infty \qquad \text{(II.5)}$$

Esta primera aportación de Einstein, la aplicación del principio de equipartición, fue una contribución de claro carácter mecánico-estadístico que ya había estudiado, en la colectividad canónica, en su primer trabajo sobre mecánica estadística de 1902[4] (ver el apartado 2 del capítulo anterior). Por supuesto Planck no había hecho mención alguna, en su «demostración», del principio de equipartición, con lo que no llegó a escribir la fórmula (II.4) ni a detectar la consecuencia (II.5), todo lo cual resulta coherente dada la metodología termodinámica seguida en su tratamiento del problema.

En el artículo de 1905 del que nos estamos ocupando, Einstein no abordó (presumiblemente no estaba en condiciones de hacerlo con éxito) un tema que había de resultar trascendental y que trataremos más adelante: si Planck, como afirmaba, había realizado todos sus cálculos dentro del esquema clásico, implícitamente, aunque no se percibiera de ello, asumía la validez de (II.2); y (II.3) era una fórmula habitual del electromagnetismo clásico. Entonces ¿cómo es que Planck no acabó llegando a (II.4), o a alguna expresión equivalente, y sí, en cambio, a la correcta ley de la radiación del cuerpo negro exenta de la dificultad expresada en (II.5)? En lugar de analizar a fondo el cálculo de Planck para dar contestación a la pregunta anterior, Einstein se limitó, en el segundo apartado de su trabajo, a exponer una crítica menor, pero suficiente, para poner de manifiesto la escasa credibilidad que concedía a los desarrollos planckianos: la determinación que Planck había efectuado de determinadas constantes universales a partir de su propia fórmula para la densidad de energía de radiación, se podía efectuar igualmente a partir de (II.4) utilizando datos experimentales para bajas frecuencias. Si los resultados numéricos que se obtenían al evaluar el número de Avogadro mediante (II.4) o por medio de la fórmula de Planck eran equivalentes, el trabajo de éste quedaba desposeído de parte de sus éxitos.

A partir de aquí, siguiendo con el trabajo de 1905, Einstein volvió a hacer hincapié en su enfoque mecánico-estadístico del problema. Si la mecánica estadística clásica conducía inexorablemente a (II.2), el electromagnetismo de Maxwell a (II.3) y la combinación de ambos a la «catástrofe ultravioleta» (II.5), no era posible avanzar sin abrir nuevas perspectivas que evitaran la conjunción de (II.2) y (II.3). En la búsqueda de alternativas, Einstein recurrió (¡cómo no!) a la mecánica estadística, si bien en esta ocasión la utilizó en sentido inverso al habitual. Conocido el resultado macroscópico es posible calcular la entropía del sistema y, escribiendo ésta en forma conveniente, obtener información sobre los constituyentes elementales. El punto de partida einsteiniano (es decir, el resultado macroscópico) fue, no la ley de Planck, sino la ley de Wien

$$\rho_\nu = \alpha \nu^3 \, e^{-\beta\nu/T} \qquad \text{(II.6)}$$

donde α y β representan constantes. En el comienzo del cuarto apartado figura una aclaración interesante al respecto:

> «De las observaciones existentes sobre radiación del cuerpo negro es claro que la ley originalmente postulada por el Sr. W. Wien no es exactamente válida. Sin embargo, ha sido bien confirmada experimental-

mente para grandes valores de ν/T [propiamente $\beta\nu/T$]. Basaremos nuestro análisis en esta fórmula teniendo presente que nuestros resultados sólo serán válidos dentro de ciertos límites».[17]

Aunque sin excesivo interés para nuestro propósito, hay que hacer notar la ausencia de una argumentación que justificara la no utilización de la ley de Planck como punto de partida, pues aparentemente no presentaba las limitaciones de la ley de Wien y había sido igualmente confirmada por los resultados experimentales. En cualquier caso, la diferencia respecto de Planck empezó a hacerse patente. Podría decirse que Einstein comenzó a desarrollar un amplio programa cuyo punto de partida explícito era la ley de radiación (de Wien, en 1905) y cuyo objetivo final consistía en la determinación de la estructura de la radiación utilizando, en nuestra opinión, la metodología propia de la mecánica estadística. El programa de Planck, en clara contraposición, partía de una hipótesis cuántica, sin analizar su coherencia con el resto de la física, y llegaba a la ley de radiación (de Planck) empleando una metodología termodinámica.[18]

Los apartados cuarto y quinto son los más técnicos desde un punto de vista formal. Relacionando temperaturas, energías y entropías, y partiendo de (II.6), Einstein evaluó la variación de la entropía de la radiación de frecuencia ν ante un cambio del volumen de la cavidad, a energía constante E, llegando a la expresión

$$S - S_o = \frac{E}{\beta\nu} \ln \left(\frac{V}{V_o}\right) \qquad \text{(II.7)}$$

La gran importancia de esta aparentemente inocua igualdad radica en que

> «... muestra que la entropía de la radiación monocromática de densidad suficientemente baja varía con el volumen de la misma forma que lo hace la entropía de un gas ideal o de una solución diluida. En lo

que sigue, esta ecuación [la expresión (II.7)] la interpretaremos de acuerdo al principio, introducido en física por el Sr. Boltzmann, según el cual la entropía de un sistema es una función de la probabilidad de su estado».[19]

Con el párrafo anterior Einstein dejó constancia, ahora aún con mayor claridad, de sus intenciones de moverse dentro del terreno de la mecánica estadística. Así, el quinto apartado lo dedicó a un problema típico de esta disciplina que hoy puede resolver cualquier principiante: el de calcular la variación de la entropía con el volumen para el caso de un gas ideal con n moléculas y energía constante. El resultado es

$$S - S_o = R \frac{n}{N} \ln \left(\frac{V}{V_o} \right) \qquad \text{(II.8)}$$

Fue la comparación de las expresiones (II.7) y (II.8) lo que llevó a Einstein a enunciar el resultado fundamental del trabajo:

> «La radiación monocromática de baja densidad (dentro del rango de validez de la fórmula para la radiación de Wien) se comporta termodinámicamente como si estuviera constituida por *quanta* de energía, mutuamente independientes, de valor $R\beta\nu/N$».[20]

Se cumplía así la primera etapa, aunque con las limitaciones que el propio Einstein señaló, del programa inicialmente previsto, al quedar insinuados los candidatos a constituyentes elementales de la radiación sobre la base de ciertas analogías con las moléculas de un gas ideal. Quedaba aún mucho camino por recorrer, puesto que necesariamente había que contrastar de alguna forma el primer resultado y descubrir a continuación las leyes que regularan la posible interacción de los *quanta* con la materia; recordemos que los *quanta* no interaccionan consigo mismos.

En el trabajo se incluía ya cierto contraste experimental de los resultados obtenidos aplicándolos a algunos fenómenos relacionados con la emisión y transformación de luz. Se trataba de explicarlos total o parcialmente recurriendo a los *quanta* de energía que, dicho sea de paso, en ningún momento del trabajo se llegan a comparar con los *quanta* planckianos: desde el apartado sexto en el que se introducen, hasta el final del artículo (nueve apartados), no aparece la menor referencia a Planck (ni a su ley ni a sus *quanta*). Por razones de completitud vamos a describir ligeramente las tres aplicaciones que aparecen en el trabajo.

Hay que señalar el equívoco que supone referirse al efecto fotoeléctrico como la motivación del famoso artículo de 1905 que estamos analizando. Ha debido quedar claro que la explicación del efecto fotoeléctrico no era el objetivo del trabajo. Además, como ha señalado Ter Haar, las medidas que en la época existían sobre el efecto fotoeléctrico no eran suficientes, ni en cantidad ni en calidad, para asegurar absolutamente una violación del comportamiento clásico previsto para la radiación,[21] por lo que la explicación del citado efecto no era tan primordial como la lectura de textos actuales nos pueda hacer pensar.

Los tres fenómenos que Einstein consideró como tests de los resultados obtenidos fueron, precisamente por este orden, la llamada regla de Stokes, la emisión de rayos catódicos por iluminación de cuerpos sólidos (efecto fotoeléctrico) y la ionización de gases por luz ultravioleta. Un ligero comentario acerca de cada uno de ellos nos ayudará tanto en la comprensión del verdadero significado del *quantum* de energía introducido, como en la evaluación del grado de validez del resultado obtenido.

(i) *La regla de Stokes.* Se conocía como tal el hecho experimentalmente observado de que la frecuencia de la emisión por luminiscencia resultara menor que la frecuencia de la luz incidente. Para Einstein, una vez admitida la estructura discreta de la energía de la radiación, el principio de conservación de la energía ponía el resto:

$$\text{energía incidente } [R\beta\nu_1/N \text{ por } \textit{quantum}] \geqslant \text{ energía emergente } [R\beta\nu_2/N \text{ por } \textit{quantum}]$$

ya que el *quantum* incidente podría originar uno o varios emergentes así como calor. Se suponía, aunque nada se diga explícitamente en el trabajo, que el material pasivo no invierte energía propia en el proceso. En el trabajo se afirma expresamente que cada *quantum* de energía incidente origina un proceso independiente, por lo que no debe existir límite inferior para la intensidad de la luz que desencadena el efecto.

Cabía pensar en violaciones de la regla de Stokes en virtud de la descripción anterior. Ello podría ocurrir tanto en el caso de gran iluminación (sería factible que varios *quanta* incidentes resultaran en uno emergente) como cuando la luz incidente (o emergente) no se correspondiera con la radiación del cuerpo negro en el rango de validez de la ley de Wien, único abanico del espectro para el que se habían introducido los *quanta* de energía.

(ii) *El efecto fotoeléctrico.* A pesar de tratarse del apartado más divulgado del trabajo, quisiéramos señalar algunos puntos quizá no tan conocidos. Recordemos que el efecto fotoeléctrico fue originalmente detectado por Hertz como un fenómeno secundario en los experimentos con los que pretendía demostrar (¡ironías de la historia!) la validez de la teoría maxwelliana (¡esencialmente continua!) del campo electromagnético. En su trabajo, Einstein no se refirió a Hertz sino a P. Lenard, dado que fue éste el que puso de manifiesto por vez primera que la energía de los electrones emitidos por una superficie metálica iluminada resultaba independiente de la intensidad de la radiación incidente. No es necesario insistir en la explicación dada por Einstein: el aumento de intensidad se traduce en un mayor número de electrones liberados, no en un aumento de la energía de éstos. De acuerdo con la idea anticipada en el tratamiento de la regla de Stokes, un *quantum* cede su energía a un único electrón. Esta era una hipótesis adicional básica, aunque no es frecuente verla expuesta como tal. Desde luego, a Einstein no se le escapó la sutileza, justificando la nueva condición sobre la base de su simplicidad. Un pequeño cálculo numérico, basado en el balance de energía, le sirvió para llegar a la fórmula final. Más que el propio resultado, sobradamente conocido, nos interesa la prudente valoración que Einstein le asignó:

> «No me parece observar contradicción entre estas concepciones y las propiedades del efecto fotoeléctrico detectadas por el Sr. Lenard».[22]

En virtud de lo anterior, no parece adecuada una afirmación del tipo «Einstein explicó el efecto fotoeléctrico en 1905», ni tampoco la presentación de este fenómeno como la corroboración de las ideas cuánticas de Einstein. En realidad no había mucho que explicar, dada la ausencia casi total de datos experimentales fiables: por ejemplo, no existían medidas de la variación del efecto con la frecuencia incidente. Por la misma razón, la confirmación de las predicciones de la teoría einsteiniana hubo de esperar hasta 1916, cuando Millikan realizó una cadena de experimentos[23, 24] con la suficiente fiabilidad como para que se admitieran como tests positivos de este apartado del trabajo de Einstein. Los experimentos confirmaban las ecuaciones que reflejaban el balance energético en el efecto fotoeléctrico; éstas se deducían de la hipótesis heurística, pero no la implicaban necesariamente. Por ello, ni siquiera en 1916 podía afirmarse que las hipótesis cuánticas tenían un soporte experimental seguro. Volveremos sobre este tema.

(iii) *La ionización de gases por luz ultravioleta.* Constituye el último apartado del trabajo y en él Einstein comenzaba insistiendo en el carácter adicional de la hipótesis acerca de la individualidad de la interacción entre *quanta* y, en este caso, moléculas de gas. De esta forma, si existiera ionización, sería debido a que la energía del *quantum* absorbido era superior a la de ionización de la molécula. Este apartado concluye con una estimación de la cota superior para el valor de la energía de ionización en el caso del aire. Einstein puso de manifiesto que el resultado anterior era aproximadamente igual al que proporcionaban los datos experimentales por entonces vigentes debidos a J. Stark.

Una vez analizado el contenido del famoso trabajo de 1905, creemos justificado tomarlo como punto de partida del programa einsteiniano de investigación del problema de la interacción radiación-materia bajo un enfoque mecánico-estadístico. Insistamos: en un tratamiento de este tipo no basta con atribuir una estructura elemental al sistema macroscópico (en nuestro caso estaría constituida por los *quanta* de energía), sino que es necesario conocer el comportamiento físico de tales componentes. Una misma estructura podría eventualmente completarse con distintos comportamientos, obteniéndose diferentes propiedades macroscópicas. En 1905, la física que caracterizaba el comportamiento de los *quanta* estaba por descubrir. Su papel lo jugaron unas hipótesis simples (la no interacción entre *quanta* y la individualidad de la interacción entre *quanta* y constituyentes elementales de la materia) que resultaron suficientes para las tres aplicaciones citadas.

De acuerdo a nuestra visión del programa de investigación einsteiniano, éste podía desarrollarse a partir de entonces según diferentes direcciones principales. Era necesario tratar de despojar a la hipótesis cuántica de la limitación que suponía restringirla a la zona de validez de la ley de Wien. Resultaba imprescindible, además, investigar sobre la naturaleza física de los procesos elementales asociados a la interacción radiación-materia. Y todo ello debía ir continuamente acompañado del oportuno contraste experimental, dada la extraordinaria novedad de los primeros resultados. Tampoco había que dejar de lado las implicaciones que el desarrollo del programa pudiera representar en otros campos de la física.

No tenemos pruebas suficientes de que la mente de Einstein se ajustara exactamente a este patrón. No obstante, sus aportaciones y su evolución se explican con notable continuidad si se admite una cierta concordancia inicial con el programa que hemos esbozado. Incluso creemos que los distintos accidentes, dudas, vaivenes y retrocesos en la evolución de la teoría cuántica de Einstein no son sino manifestaciones concretas de las dificultades que habitualmente surgen cuando se desarrolla en el tiempo un programa de investigación sobre física básica.

4
Del efecto fotoeléctrico al *Gedanken-Experiment* de 1909

Antes de concentrarnos en la evolución del concepto de *quantum* de energía einsteiniano introducido en 1905 vamos a referirnos, aunque sea someramente, a la recepción del trabajo de 1905 por parte de los líderes científicos de la época. La tónica del impacto que causó el artículo en general, y la hipótesis cuántica en concreto, se puede detectar con gran aproximación si se lee un párrafo de la presentación, altamente elogiosa en su conjunto, que Planck, Nernst, Rubens y Warburg hicieron de Einstein al proponerlo como miembro de la Academia Prusiana ¡en 1913!

> «En suma, puede decirse que de los grandes problemas en que es tan rica la física moderna, difícilmente exista uno al que Einstein no haya hecho una contribución notable. Que alguna vez errara el blanco en sus especulaciones, como por ejemplo en su hipótesis de los *quanta* de luz, no puede esgrimirse realmente demasiado en su contra, porque no es posible introducir ideas realmente nuevas, ni aun en las ciencias más exactas, sin correr a veces algún riesgo».[25]

Pudiera pensarse que la prevención ante los *quanta* estaba justificada en tanto no se midieran exhaustivamente las características del efecto fotoeléctrico y se pusiera de manifiesto su acuerdo con la teoría cuántica de Einstein. Nada más lejos de la realidad pues, aunque ya hemos señalado que la tarea experimental fue satisfactoriamente llevada a cabo por

Millikan en 1916, ni siquiera éste pensó que los resultados de sus medidas representaban la confirmación de la teoría cuántica. Ello se observa claramente en uno de los trabajos del propio Millikan, donde escribió:

> «La ecuación fotoeléctrica de Einstein ... parece predecir exactamente en todos los casos los resultados observados ... Pero la teoría semicorpuscular mediante la cual Einstein llegó a su ecuación parece hoy completamente insostenible».[26]

También en el año 1916 Millikan incluyó un comentario elocuente al respecto, en otro trabajo posterior:

> «A pesar del éxito ... aparentemente completo, de la ecuación de Einstein [para el efecto fotoeléctrico], la teoría física, de la que estaba destinada a ser expresión simbólica, se halló tan insostenible, que el mismo Einstein, según creo, ya no la mantiene».[27]

Por cierto, Einstein no parecía interesado en aclarar completamente su posición al respecto, con toda probabilidad por no estar en condiciones de hacerlo. No obstante, no debe confundirse la precaución, que fue una constante en su actitud, con la duda o el rechazo del *quantum* de luz. Puede tomarse como ilustración de esta prudencia un párrafo de su intervención en el famoso Primer Congreso Solvay, en 1911:

> «Insisto en el carácter provisional de este concepto [los *quanta*], que no parece reconciliable con las consecuencias experimentalmente verificadas de la teoría ondulatoria».[28]

En el mismo año 1911 expresó más privadamente, a su amigo Besso, esta confusión, no el rechazo ni el abandono, en torno a su programa; parecía dispuesto a dar una nueva orientación a su trabajo:

> «En estos momentos, trato de obtener a partir de la hipótesis cuántica la ley de la conductividad calorífica en los dieléctricos sólidos. Ya no me pregunto más si los *quanta* existen realmente. Tampoco me preocupo por obtenerlos, pues ahora sé que mi cerebro es incapaz de avanzar de esta forma. Pero sí busco muy cuidadosamente las consecuencias, con el fin de estar informado acerca del dominio de aplicación de esta representación».[29]

Contra lo que ingenuamente pudiera pensarse, el trabajo y los resultados de Planck fueron más aceptados (o quizá menos explícitamente rechazados) que los de Einstein, a pesar de la cautela y las limitaciones que el propio artículo de 1905 había puesto de manifiesto. En opinión de Pais,[30] había dos poderosas razones para ello; una de tipo teórico y otra relacionada con la experimentación. La hipótesis cuántica de Planck se refería a una cuantificación de la energía de osciladores materiales, lo cual no afectaba sustancialmente a la continuidad del campo de radiación que se daba por supuesta al hacer uso explícito de la teoría de Maxwell. Dada la oscuridad reinante en torno a la interacción radiación-materia, no parecía un impuesto exagerado pues, al menos a primera vista, no presentaba efectos secundarios negativos importantes. Desde un punto de vista experimental, el trabajo proporcionaba una explicación fiable y de gran precisión para los abundantes resultados obtenidos en los laboratorios acerca de la distribución de la densidad de energía en la radiación del cuerpo negro. Podríamos añadir, a título personal, que el prestigio de Planck (sustituto de Kirchoff en la cátedra de la Universidad de Berlín desde la muerte de éste en 1889) a principios de siglo pudo ser un elemento adicional para la positiva aceptación de sus trabajos.

Por el contrario Einstein, prácticamente un desconocido hasta 1905, parecía sugerir con su hipótesis cuántica una rectificación, cuando menos, de las ecuaciones de Maxwell para el campo libre de radiación. Y todo esto a cambio de casi nada, pues como ya hemos indicado, sus referencias a hechos experimentales en el trabajo de 1905 no podían valorarse adecuadamente por falta de datos experimentales fiables acerca de los fenómenos analizados. Algo tan aparentemente sencillo –aunque fundamental para la implantación del *quantum* einsteiniano– como la linealidad entre la energía del electrón liberado y la frecuencia de la radiación incidente en el efecto fotoeléctrico, hubo de esperar una década para ser definitivamente probado por los experimentos.

Volvamos al estudio del desarrollo de la teoría cuántica. En el año 1906 Einstein publicó un trabajo fundamental dedicado al análisis en profundidad de la hipótesis de Planck.[31] Resultó interesantísimo desde diferentes puntos de vista, uno de los cuales es el que Klein ha puesto de manifiesto con las siguientes palabras:

> «Todo aquel que aún piense que los *quanta* de luz de Einstein de 1905 eran una generalización o extensión de la teoría de Planck, sólo necesita leer este trabajo de 1906 para desechar esa idea».[32]

En la primera página de este artículo de Einstein ya encontramos lo esencial de su contenido:

> «En aquel momento [el de la publicación del artículo de 1905] la teoría de la radiación de Planck me parecía, de alguna manera, opuesta a la mía propia. Otras consideraciones nuevas, que presentamos en la primera sección de este trabajo, me han convencido, no obstante, de que las bases teóricas sobre las que se funda la teoría de la radiación de Planck son diferentes de las de la teoría de Maxwell y de la teoría de los electrones. Y, precisamente, la diferencia radica en que la teoría de Planck se sirve implícitamente de la hipótesis del *quantum* de luz que nosotros hemos introducido».[33]

Para poner de manifiesto las incongruencias del trabajo de Planck [quien afirmaba moverse dentro del marco clásico y, en cambio, no obtenía el resultado (II.4)], Einstein comenzó recordando que la entropía de un sistema con energía constante E se podía escribir en la forma

$$S = k \ln [w(E)] \tag{II.9}$$

siendo w(E) la densidad de estados correspondientes a E. Como es sabido (estos resultados se encuentran hoy en cualquier texto elemental de mecánica estadística), para un sistema de n osciladores armónicos clásicos w(E) resulta proporcional a E^{n-1}, se verifica el principio de equipartición de la energía y no hay escapatoria posible para dejar de ir a parar a (II.4). Si, en cambio, se deseara obtener la distribución de Planck

$$\rho(\nu,T) = \frac{\alpha \nu^3}{e^{\beta\nu/T} - 1} \tag{II.10}$$

podría conseguirse sin más que limitar las energías posibles de cada oscilador precisamente de acuerdo a la restricción de que éstas sólo tomen valores que sean múltiplos enteros de ε, siendo

$$\varepsilon = \frac{R}{N} \beta\nu \tag{II.11}$$

(hasta 1909 Einstein no empleó en la notación k en lugar de R/N). Ello equivalía a pasar de un contaje de puntos a otro de celdas, de dimensiones finitas determinadas por ε, en el espacio de las fases. Se trataría ahora de calcular las distintas formas de distribuir una energía dada E entre osciladores de frecuencia ν asumiendo que cada oscilador sólo puede aceptar un múltiplo natural de ε. Es decir, que para obtener (II.4) o (II.10) se podrían utilizar razonamientos y métodos análogos; la diferencia estribaba en la naturaleza del espectro de los osciladores.

Así quedaba desvelado, en parte, el «misterio» asociado al trabajo de Planck. Pero todavía restaban muchos puntos oscuros porque, si éste había utilizado la restricción anterior para la energía de los osciladores ¿qué papel jugaba el campo de radiación (y la teoría de Maxwell) en el trabajo? ¿Era posible reconciliar el espectro discreto de los osciladores con el carácter continuo del campo electromagnético? No olvidemos que Planck había deducido anteriormente el factor $L^3/8\pi\nu^2$ que figura en (II.3) utilizando el formalismo del electromagnetismo clásico. Es decir, Planck había simultaneado en su trabajo la continuidad en la emisión y absorción de energía de la radiación por parte de los osciladores con el espectro discreto de éstos. ¿Qué podía haber ocurrido para que un cálculo tan aparentemente incoherente hubiera podido conducir a la expresión (II.10), tan acorde con todos los resultados experimentales?

La solución que Einstein propuso nos recuerda, por enésima vez, el enfoque mecánico-estadístico bajo el que consideraba el problema:

> «Aunque la teoría de Maxwell no es aplicable a osciladores elementales, la energía *media* de uno de éstos en un campo de radiación es la misma que la que se obtiene a partir de la teoría de Maxwell».[34]

Esta consideración einsteiniana merece una atención especial porque confirma que Einstein pretendía resolver la situación paradójica detectada en el trabajo de Planck partiendo de una visión microscópica para la interacción radiación-materia (campo-osciladores). Promedios definidos sobre la estructura microscópica permitirían obtener magnitudes macroscópicas que podrían presentar propiedades muy diferentes de las propiedades de las magnitudes microscópicas correspondientes. Desde luego, Einstein no podía observar dificultades esenciales en esta dicotomía concreta (discreto microscópico contra continuo macroscópico) tras haber pasado por el trance (¡y con éxito total!) de compatibilizar la reversibilidad microscópica con la irreversibilidad macroscópica: la mecánica estadística le había hecho comprender (o quizá le había permitido demostrar) la compatibilidad de propiedades tan aparentemente contradictorias.

Este razonamiento de Einstein, por el contrario, representó para muchos físicos una incoherencia insuperable: no resultaba admisible una concepción (la teoría cuántica) cuyos principios resultaban opuestos a otros de validez contrastada (los de la teoría de Maxwell sobre el campo de radiación) y pretendiera, además, justificar éstos sobre la base de la nueva teoría.

En el año 1907 Einstein publicó un trabajo y un comentario adicional,[35] donde ponía de manifiesto algunas implicaciones del trabajo de Planck. Comenzaba calculando la energía media de un oscilador partiendo, no de una distribución clásica continua para la energía (lo que conduciría a equipartición), sino de la hipótesis del *quantum* de energía. Obtuvo la expresión

$$\overline{\mathrm{E}} = \frac{\varepsilon}{e^{\beta\nu/\mathrm{T}} - 1} \qquad \text{(II.12)}$$

que, en el límite de «altas temperaturas», se reducía a (II.2); ello podría sugerir que las expresiones clásicas representan límites, no igualdades exactas, y que el comportamiento microscópico elemental difiere sensiblemente del comportamiento macroscópico. Desde este punto de vista se imponía una revisión de los cálculos mecánico-estadísticos en los que se partiera de osciladores clásicos como constituyentes elementales. El resto del artículo estaba destinado, en esta dirección, a demostrar que sistemas de osciladores apropiadamente tratados resolvían algunas graves contradicciones existentes entre datos experimentales y teóricos referentes al calor específico de los sólidos. Podría entenderse este paso como una primera tentativa de extender la teoría cuántica de la radiación a la materia, pues los osciladores del trabajo que comentamos eran puramente materiales, siendo la frecuencia que aparece en (II.12) una característica de las vibraciones atómicas del sólido (se suponían independientes y de frecuencia única) que podía ser medida en experimentos de absorción óptica por los sólidos. Klein ha estudiado detenidamente el tema de la relación entre propiedades ópticas y térmicas, así como el significado del trabajo de Einstein al que nos estamos refiriendo.[36]

No vamos a entrar en los detalles de la teoría de Einstein sobre los calores específicos de los sólidos contenida en el artículo de 1907. Simplemente recordaremos que la ley introducida por Einstein sustituyó ventajosamente a la llamada «regla de Dulong-Petit». Según la teoría einsteiniana, a elevadas temperaturas ($T \gg \beta\nu$) el calor específico se aproximaba al valor clásico de Dulong-Petit; no así a bajas temperaturas, pues la ley resultaba decreciente con T y conducía a la anulación de los calores específicos para $T = 0$. Esta desviación de la regla de Dulong-Petit constituyó una notable predicción, cuya pronta confirmación experimental por Nernst condujo a una teoría cuántica de la materia más aceptada en esta época que la teoría cuántica de la radiación, contra lo que pudiera creerse. La importante relación entre Einstein y Nernst comenzó por el interés de éste, no en la teoría cuántica en sí, sino en someter a tests su teorema (o tercer principio de la termodinámica), lo que le llevaba a experimentar con bajas temperaturas, habiendo encontrado así resultados experimentales, ya en 1910, que confirmaban desviaciones en torno a la regla de Dulong-Petit.[37]

El siguiente peldaño en el camino de la evolución del *quantum* einsteiniano lo hemos de situar en 1909. Aunque después del citado artículo de 1907 (escrito el año anterior) comenzó un período que Pais denomina «tres años y medio de silencio»,[38] una carta dirigida a Laub en 1908 aclara que la situación no fue de tranquilidad ni de despreocupación respecto del problema:

> «Estoy incesantemente ocupado con la cuestión de la radiación ... Esta cuestión cuántica es tan desusadamente importante y difícil que debería preocupar a todos».[39]

En 1909 Einstein publicó dos artículos de capital interés, no por los resultados que allí aparecen, sino por el valor que encierran para comprender el desarrollo de la teoría cuántica.[40, 41] En ellos manejó recursos que volverían a ser utilizados en su conocido trabajo de 1916-1917[10] y se introdujeron conceptos que más adelante habrían de ser tenidos en cuenta. El segundo de estos trabajos era la transcripción de la conferencia pronunciada en Salzburgo con motivo de la Reunión Anual de Científicos Alemanes y que W. Pauli no dudó en calificar como «uno de los hitos que marcan el desarrollo de la física teórica».[42]

En la comunicación de Salzburgo, Einstein escribió:

> «Resulta innegable que existe un amplio conjunto de hechos, referentes a la radiación, que demuestran que la luz tiene ciertas propiedades fundamentales que pueden ser entendidas mucho más apropiadamente a partir del punto de vista newtoniano de la teoría de la emisión, que desde el punto de vista de la teoría ondulatoria. Es mi opinión, entonces, que la próxima fase del desarrollo de la física teórica nos aportará una teoría de la luz que pueda ser interpretada como una especie de fusión de las teorías ondulatoria y de emisión».[43]

Un párrafo como el anterior, incidentalmente, creemos que sirve para descartar la que se daría en llamar «dualidad onda-corpúsculo» como posible origen del distanciamiento de Einstein respecto de la mecánica cuántica posterior.

Los trabajos citados de 1909 recuerdan, en cierta forma, la metodología del de 1905. Se trataba de justificar los *quanta,* no como condición suficiente para obtener la ley de Planck, sino como consecuencia necesaria de ésta, cuya validez se consideraba ya demostrada experimentalmente. Se insistía pues en el *quantum* necesario (no en el *quantum* suficiente de Planck), pero se liberaba el razonamiento de la restricción de su validez al dominio de la ley de Wien.

Pasemos a esbozar la línea argumental. El sistema estaba integrado por un espejo suspendido en una cavidad llena de radiación térmica y un gas ideal monoatómico; todo en equilibrio. Se trataba de un espejo perfectamente reflectante por ambas caras en el intervalo de frecuencias (ν, ν+dν) y totalmente transparente fuera de dicho intervalo, pudiendo moverse únicamente en dirección perpendicular a su plano. El espejo aparecía, en primer lugar, sometido a un movimiento browniano como consecuencia de la irregularidad en el choque contra las moléculas de gas. La equipartición de la energía suministraba como energía cinética media para el espejo el valor 1/2 kT. Si v fuera la velocidad del espejo en el instante considerado, existiría una fuerza de resistencia al movimiento del espejo (por unidad de velocidad) que vendría dada por la presión de radiación R. Para que el equilibrio no se rompiera, Einstein pensó que era necesario otro proceso que compensara la tendencia del espejo a detenerse como consecuencia de la fricción. A través de este *Gedanken-Experiment* se llegaba a la necesidad de un proceso que, en opinión de Einstein, existía como consecuencia natural de la hipótesis cuántica y tenía su origen inmediato en las fluctuaciones de la radiación. Si éstas se traducían en un momento adicional Δ, el equilibrio implicaba la igualdad

$$\overline{(mv - Rv\tau + \Delta)^2} = \overline{(mv)^2} \qquad \text{(II.13)}$$

(τ representa el intervalo de tiempo en el cual el espejo adquiere el momento Δ debido a las fluctuaciones).

Tomando un intervalo de tiempo lo suficientemente pequeño para poder limitarse a primer orden en τ, y teniendo en cuenta la independencia mutua de v y Δ, la expresión (II.13) conduce a

$$\overline{\Delta^2} = 2mR\tau\overline{v^2} \qquad \text{(II.14)}$$

La presencia de un gas ideal en equilibrio térmico con el espejo implica

$$\frac{1}{2}\, m\overline{v^2} = \frac{1}{2}\, kT \qquad \text{(II.15)}$$

expresión que sustituida en (II.14) permite escribir

$$\overline{\Delta^2} = 2RkT\tau \qquad (II.16)$$

El cálculo de R, mediante la electrodinámica clásica, conduce a

$$R = \frac{3}{2L}\left[\rho - \frac{\nu}{3}\frac{\partial\rho}{\partial\nu}\right] d\nu \cdot S \qquad (II.17)$$

donde L representa la velocidad de la luz, S la superficie del espejo y ρ la densidad de radiación.

Las expresiones (II.16) y (II.17) fueron utilizadas para diferentes propósitos, como hemos puesto de manifiesto en otro trabajo.[44] En 1909 Einstein hizo de ellas el uso que cabía pensar: operó con ρ según la ley de Planck (II.10) (que, por tanto, se utilizó como dato experimental) y obtuvo

$$\frac{\overline{\Delta^2}}{\tau} = \frac{1}{L}\left[h\nu\rho + \frac{L^3}{8\pi\nu^2}\rho^2\right] d\nu \cdot S \qquad (II.18)$$

donde las constantes α y β no figuran en virtud de su relación con la constante de Planck h que ya empezaba a ser empleada por Einstein en esta época. Einstein consideró esta última expresión, conjuntamente con la que en el mismo trabajo había obtenido para la fluctuación de la energía de radiación en una cavidad de volumen V:

$$\overline{\varepsilon^2} = \left[h\nu\rho + \frac{L^3}{8\pi\nu^2}\rho^2\right] d\nu \cdot V \qquad (II.19)$$

Las igualdades (II.18) y (II.19) fueron interpretadas por Einstein como pistas de la existencia de cierto dualismo onda-partícula para la radiación del cuerpo negro (descrito según la ley de Planck) dadas las componentes claramente de origen ondulatorio (el segundo sumando) y de origen corpuscular (el primer sumando) que aparecían en los segundos miembros de ambas expresiones.

Quizá resulte sorprendente que, a la vista de (II.18) y (II.19) Einstein no hiciera consideración alguna acerca del momento lineal del *quantum* de radiación. A este respecto citamos la opinión de Pais:

«Podría entonces esperarse que el primer término de la ecuación (II.18) condujera a Einstein, en 1909, a afirmar el "postulado cuántico del impulso": la radiación monocromática de baja densidad se comporta, en lo que respecta a las fluctuaciones del impulso como si consistiera en *quanta* de impulso, mutuamente independientes, de magnitud $h\nu/L$. No puedo concebir que Einstein no lo pensara. Pero no dijo exactamente eso ... No se refirió explícitamente a *quanta* de impulso ni a la conexión relativista entre $E = h\nu$ y $p = h\nu/L$. Sin embargo, el concepto de partícula (el fotón) estaba claramente en su mente, porque pasó a conjeturar que "los campos electromagnéticos de la luz están ligados a puntos singulares, en forma análoga a la aparición de campos electrostáticos en la teoría de los electrones". Parece adecuado parafrasear esta afirmación de la manera siguiente: los *quanta* de luz pueden muy bien ser partículas, en el mismo sentido en que los electrones son partículas».[45]

5
Campos estocásticos y fotodisociación (hasta 1914)

A partir de 1909, como ya hemos anticipado, Einstein prodigó el uso de la expresión (II.16), a la que, recordemos, había llegado a través del análisis de un *Gedanken-Experiment* en términos estadísticos. Aún hoy resulta tentador tratar de considerar a ρ, no como un dato en la expresión (II.16), sino como el resultado que se deduciría de ella si se calculara $\overline{\Delta^2}$ independientemente. Eso es, precisamente, lo que Einstein y Hopf hicieron en 1910,[46] en un trabajo con diferentes e interesantes implicaciones.[47]

Einstein estaba convencido, desde un principio, de que la física clásica correctamente aplicada conducía insalvablemente a la ley de Rayleigh-Jeans (II.4). A ella se podía llegar, como había puesto de manifiesto en 1905, mediante el principio de equipartición. Pero es sabido, y era sabido por Einstein, que la física clásica no garantiza la validez universal de dicho principio, por lo que Einstein y Hopf propusieron una deducción clásica de la ley de Rayleigh-Jeans sin recurrir a equipartición. La demostración pasaba por reemplazar los espejos del *Gedanken-Experiment* por osciladores; se calculaban $\overline{\Delta^2}$ y R a partir del electromagnetismo clásico y su sustitución en (II.16), habida cuenta de (II.17), proporcionaba una ecuación diferencial cuya única solución físicamente aceptable resultaba ser (II.4). Se demostraba así que el electromagnetismo clásico no conducía a la ley de Planck, sino a la «catástrofe ultravioleta».

No vamos a entrar en los detalles del cálculo (si se está interesado, véase la ref. 47), porque no afectan al propósito de nuestro trabajo. Sí queremos señalar, no obstante, que en dicho cálculo Einstein y Hopf analizaban la influencia del campo de radiación sobre un oscilador cargado, introduciendo un campo estocástico. Para ello desarrollaron una teoría elemental de los procesos estocásticos, que se ha considerado pionera de la electrodinámica estocástica, disciplina que en alguna ocasión se ha propuesto como candidata a una alternativa para la electrodinámica cuántica.[48]

Einstein y Hopf presentaron su trabajo como una prueba de que la física clásica (sin hipótesis cuántica adicional) conducía inequívocamente a la ley de Rayleigh-Jeans. Tres años después, Einstein y Stern[49] ampliaron el alcance del trabajo anterior obteniendo la ley de Planck, también sin hipótesis cuántica, aunque haciendo uso de la llamada «segunda teoría de Planck»,[50] desarrollada entre 1910-1912, donde se introducían osciladores que absorbían energía continuamente aunque la emisión era discreta, con una energía media por oscilador no nula en el cero de temperatura absoluta. Esta hipótesis adicional sobre la energía del llamado «punto-cero» para el oscilador lineal llevó a Einstein y a Stern, siguiendo el formalismo del trabajo previo de Einstein y Hopf, no a la ley de Rayleigh-Jeans sino a la de Planck, sin ninguna hipótesis de carácter cuántico. Remitimos al lector interesado a la bibliografía para detalles sobre este artículo de 1913, entre éstos la retirada que Einstein presentó posteriormente de la hipótesis referente al «punto-cero».[51] Nosotros retomaremos el hilo de la evolución del *quantum* einsteiniano.

No es posible analizar la evolución de la teoría cuántica einsteiniana sin detenerse, aunque sea brevemente, en algunas de las circunstancias que rodearon un acontecimiento excepcional. Hemos indicado anteriormente que la teoría cuántica de Einstein de 1905 no tuvo, en general, una buena acogida. Los sucesivos trabajos no hicieron cambiar sustancialmente la situación hasta 1911, exactamente hasta la celebración del Primer Congreso Solvay.

Entre los escasísimos convencidos de la trascendencia de las investigaciones de Einstein figuraba Nernst, quien, como ya hemos indicado, estaba personalmente interesado en las medidas experimentales de calores específicos de diversos materiales a bajas temperaturas, con la idea de profundizar en sus estudios sobre el tercer principio de la termodinámica. Incluso en 1910, Nernst había visitado a Einstein en Zürich, donde tuvo ocasión de comprobar personalmente la gran concordancia entre las predicciones einsteinianas y sus resultados experimentales al respecto.

Nernst era amigo personal del industrial belga Solvay, al que convenció para reunir en un *meeting* a un grupo selecto de físicos que pudieran discutir sobre radiación y *quanta.* Así se fraguó el primero, y para muchos el más trascendente, de los famosos congresos Solvay. Participaron oficialmente dieciocho científicos que se reunieron desde el 29 de octubre al 3 de noviembre en el hotel Metropole de Bruselas bajo la presidencia de Lorentz, quien tuvo que hacer verdaderos esfuerzos para lograr la comunicación deseada entre los participantes debido a sus grandes diferencias, incluidas las lingüísticas. A pesar de todo, algunas discusiones fueron excesivamente agrias, lo cual se puede percibir incluso a través de la lectura de las actas publicadas bajo la tutela editorial de Langevin y De Broglie.[52]

No es el momento de exponer el desarrollo del congreso, pero en cuanto al impacto causado podríamos citar que antes del mismo, entre los más famosos, tan sólo Ehrenfest, Stark, Larmor, J. J. Thompson y Nernst, aparte de Einstein y Planck, parecían tratar con cierta seriedad las hipótesis cuánticas de cualquier naturaleza. La conferencia fue un medio eficaz para lograr cierto proselitismo hacia la discontinuidad cuántica, pues bastantes de los asistentes se declararon, en mayor o menor grado, conversos hacia las nuevas hipótesis.

Uno de los conversos ilustres fue Poincaré, mientras que otros no tan entusiastas hacia las nuevas teorías eran reacios al cambio, posiblemente debido a la dificultad de entender y asimilar en tan pocos días los nuevos argumentos. Dado que las actas se publicaron antes de un año, y que se difundieron ampliamente, fue posible que un buen número de «jóvenes promesas» se interesaran por el problema de los *quanta* y, lo que fue más trascendente, se traspasara la frontera de la comunidad científica germanohablante, abriéndose, como por ejemplo en Gran Bretaña, campos de aplicación para las nuevas ideas (estructura atómica). Niels Bohr fue uno de los que tuvo ocasión de oír directamente una versión optimista de las sesiones a través de Rutherford, cuando Bohr lo visitó en Manchester recién vuelto aquél de Bruselas. Louis de Broglie fue otro de los jóvenes que, a través de su hermano Maurice, tuvo acceso a los manuscritos que se preparaban para la publicación y que le hicieron entusiasmarse con la idea de llegar lo más lejos posible en el conocimiento de los *quanta*. No obstante, y a pesar del impacto del Congreso Solvay, la hipótesis cuántica no llegó a instalarse definitivamente; sólo pasó a ser considerada con mayor seriedad. Como muestra, basta volver a recordar la presentación que Planck hizo de Einstein en 1913[25] y la postura de Millikan en 1916;[26, 27] representaban adecuadamente la posición media de los científicos del momento.

El siguiente paso en el largo recorrido hacia el descubrimiento de la física de los componentes elementales de la radiación lo hemos de situar en 1912, año en el que Einstein publicó un trabajo poco conocido (o al menos poco citado) sobre la disociación fotoquímica, pero que pensamos juega un papel importante respecto de la continuidad del pensamiento einsteiniano sobre la naturaleza del *quantum* de luz, como hemos puesto de manifiesto recientemente.[53]

Einstein denominó «ley del equivalente fotoquímico», en su artículo, a la afirmación de que la descomposición de un equivalente gramo de cualquier sustancia mediante un proceso fotoquímico por efecto de radiación de frecuencia ν requiere la energía $Nh\nu$, por parte de la radiación (N representa el número de Avogadro). Desde luego no fue casual la preocupación de Einstein por estos temas, pues ya en el famoso artículo de 1905[3] se había ocupado, a título de ejemplo, de la ionización de gases por luz ultravioleta, y en el segundo de sus artículos de 1909[41] se preguntaba por la razón de que el que se dé o no se dé una reacción fotoquímica concreta dependiera del color de la luz incidente y no de su intensidad.

Todo es claro si se parte de una descripción de la radiación electromagnética en términos de *quanta*. Pero el programa de Einstein operaba, generalmente, en dirección opuesta: no se trataba, una vez más, de aplicar los *quanta* para obtener resultados, sino de deducir los *quanta* a partir de datos experimentales y algo más... El artículo de 1912 al que nos referimos es de este tipo: Einstein pretendía demostrar que la ley del equivalente fotoquímico (y, por tanto, otro soporte para la necesidad de introducir los *quanta*) se podía deducir, junto con la ley fenomenológica de Wien (II.6), a partir de unas hipótesis simples y plausibles, más unos razonamientos termodinámicos usuales. Pero antes de entrar en el detalle del trabajo quisiéramos hacer alguna referencia a una polémica no muy conocida entre Einstein y Stark a propósito de este tema, porque creemos que tiene cierta relevancia desde un punto de vista histórico. Einstein no fue el primero en relacionar teoría cuántica y procesos fotoquímicos.[54] Stark era quizás el más conocido entre los que hacía algún tiempo, cinco años aproximadamente, se mostraban interesados por encontrar fenómenos o campos en los que someter a prueba aspectos de la teoría cuántica (en la línea de Planck preferentemente; es decir, sin asumir una estructura corpuscular para la radiación). Por todo ello, cuando Einstein publicó en 1912 su trabajo sobre la ley del equivalente fotoquímico, Stark reivindicó en una nota la paternidad para sí, lo cual parece justificado si, por ejemplo, se consideran párrafos de trabajos anteriores suyos como éste de 1908:

> «... la acción química directa de la luz [en ciertos procesos fotoquímicos] consiste en la liberación de electrones de valencia de su ligadura como resultado, de acuerdo a la ley cuántica, de la absorción de más luz por parte de los electrones de valencia individuales que la cantidad de energía de enlace de éstos».[55]

Stark debió de pensar que la ley enunciada por Einstein en 1912 no era mucho más. Y posiblemente el propio Einstein participara en parte de este pensamiento, a juzgar por la réplica que reproducimos íntegramente:

> «J. Stark ha escrito una nota que se refiere a un artículo mío recientemente publicado [véase ref. 12; el primero], con el propósito de defender su prioridad intelectual. No deseo discutir esta cuestión de prioridad porque difícilmente puede interesarle a alguien, dado que en el caso de la ley del equivalente fotoquímico estamos ante una consecuencia inmediata de la hipótesis de los *quanta.* Deduzco, no obstante, de las observaciones de Stark, que no he subrayado suficientemente el alcance de mi trabajo. Lo importante es que para la deducción de dicha ley no se requiere la hipótesis cuántica, sino que ésta puede deducirse a partir de ciertas hipótesis simples acerca de los procesos fotoquímicos siguiendo una vía puramente termodinámica».[56]

Algunos autores, evitando el compromiso, han dado así en referirse a la «ley de Stark-Einstein». No es éste un campo de gran interés para nuestro trabajo, pero sí una buena ocasión para reivindicar alguna más alta consideración sobre el papel jugado por Stark en la prehistoria de la mecánica cuántica, y que A. Hermann ha puesto adecuadamente de manifiesto.[57] En otro orden de cosas, este episodio puede ser interesante respecto a la continuidad en la evolución del concepto de *quantum* de luz, como también hemos señalado en otra ocasión.[53]

Una cuestión surge inmediatamente: si Einstein afirmaba no haber recurrido a la hipótesis cuántica para deducir la ley del equivalente fotoquímico, ¿podía interpretarse ello como una huida, al menos temporal, de un *quantum* tan enormemente problemático? La lectura de sus trabajos y de la correspondencia con Besso, por ejemplo, sugiere más bien lo contrario: tan convencido estaba de la necesidad de instalar los *quanta* definitivamente en física, que trataba a toda costa, no de partir de su existencia, sino de deducirla de los experimentos:

«En mi último trabajo [el primero citado en la ref. 12] he demostrado (mediante la *vía termodinámica*) que, para la descomposición fotoquímica de una molécula gramo por radiación de Wien, se requiere siempre la absorción de la energía $Nh\nu$. Ello se puede deducir de la fórmula de la radiación [de Wien] y de la ley de acción de masas. No se necesita recurrir aquí a la hipótesis de los *quanta*».[58]

Un esquema del trabajo sobre el equivalente fotoquímico podría ser el siguiente. Einstein consideró tres gases químicamente diferentes encerrados en un volumen V, siendo n_1, n_2 y n_3 el número de moles respectivos. Se admitía la existencia de una reacción consistente en la descomposición de una molécula del tipo 1 en moléculas de las clases 2 y 3 por efecto de la radiación térmica de frecuencia ν_0. El proceso se complementa con las correspondientes reacciones de recombinación. Por supuesto, el equilibrio termodinámico exige que las frecuencias con que ocurran las reacciones

$$1 \longrightarrow 2 + 3$$
$$2 + 3 \longrightarrow 1$$

sean las mismas.

En cuanto al mecanismo propio de las reacciones, Einstein partía de tres hipótesis «simples»:

1) La descomposición de una molécula del primer tipo tiene lugar como si las otras moléculas no estuvieran presentes, lo que supone que la tasa de descomposición no depende de las concentraciones de las tres especies moleculares, sino sólo del número de moléculas del primer tipo (manteniendo fijas otras circunstancias).
2) La probabilidad por unidad de tiempo de que una molécula del tipo 1 se descomponga es proporcional a la densidad de la radiación presente ρ.
3) La reacción de recombinación (en la que cabe pensar, por supuesto, que se emite radiación) ocurre de acuerdo a la

ley de acción de masas: el número de moléculas del primer tipo que se producen por unidad de volumen y de tiempo es proporcional al producto de las concentraciones de 1 y de 2. El factor de proporcionalidad dependerá de la temperatura, pero no de la intensidad de la radiación.

De acuerdo con las hipótesis 1) y 2), el número Z de moléculas del tipo 1 que se descomponen por unidad de tiempo vendrá dado por

$$Z = A\,\rho\,n_1 \tag{II.20}$$

donde el coeficiente A dependerá de la temperatura de la mezcla gaseosa. El número Z' de moléculas del tipo 1 producidas por unidad de tiempo vendrá dado, en virtud de 3), por

$$Z' = A'V\,\frac{n_2}{V}\,\frac{n_3}{V} \tag{II.21}$$

Para que el equilibrio del sistema gas-radiación se mantenga deberá ocurrir que Z sea igual a Z', o lo que es lo mismo:

$$\frac{\eta_2\,\eta_3}{\eta_1} = \frac{A}{A'}\,\rho \tag{II.22}$$

donde por η_i (i = 1, 2, 3) se indican las concentraciones respectivas.

La parte termodinámica del trabajo consistió en la imposición de equilibrio termodinámico a un cambio isotermo a volumen constante del sistema gas-radiación. Para el cálculo detallado, así como para algunos aspectos delicados del mismo, nos remitimos a un trabajo previo nuestro,[59] en el que se explica cómo se concluyó, sin apartarse de la termodinámica, que ρ debía ser de la forma

$$\rho = \text{cte. } e^{-N\varepsilon/RT} \tag{II.23}$$

siendo T la temperatura de equilibrio y $N\varepsilon$ la energía transferida a la mezcla gaseosa en la descomposición de una molécula gramo de gas del tipo 1. El resultado (II.23) no es sino una expresión de la ley de Wien, pues puede demostrarse que la constante no depende de la temperatura. Si la ley de Wien se escribe en la forma normalizada de Planck, y se compara con (II.23), se llega al resultado

$$\varepsilon = h\nu_0 \tag{II.24}$$

que Einstein interpretó como la expresión que confirma que una molécula de gas que se descompone bajo la absorción de radiación de frecuencia ν_0 absorbe, en promedio, la energía $h\nu_0$.

Conviene valorar adecuadamente esta conclusión, porque no es trivial que un razonamiento puramente termodinámico, como el de Einstein, conduzca a un resultado de naturaleza corpuscular, máxime si se tiene en cuenta que las hipótesis 1), 2) y 3) no hacen la menor referencia a supuestos corpusculares de ningún tipo. Es un intento, en cierta forma, metodológicamente análogo al de 1905: la ley del equivalente fotoquímico y el carácter discontinuo del proceso de absorción se deducen con el grado de validez de la ley de Wien. Todo en la línea de obtener los *quanta,* de deducir propiedades de los constituyentes elementales de la radiación y la propia existencia de éstos. De ahí el gran interés en los experimentos fotoquímicos de Emil Warburg, en los cuales, como Einstein escribió en 1912, «se hacen realidad cosas que durante años sólo he podido concebir vagamente en mis sueños».[60]

Este trabajo, pensamos, abría el camino que en cuatro años había de conducir al famoso resultado de 1916-1917. Einstein comenzó a diferenciar propiedades de la emisión y de la absorción pues parece evidente, y así lo hemos puesto de manifiesto en otro trabajo anterior,[61] que los procesos de fotodisociación-recombinación de 1912 son un claro precedente de la absorción-emisión (espontánea) de 1916-1917 para un átomo con dos niveles de energía. La analogía puede ilustrarse así:

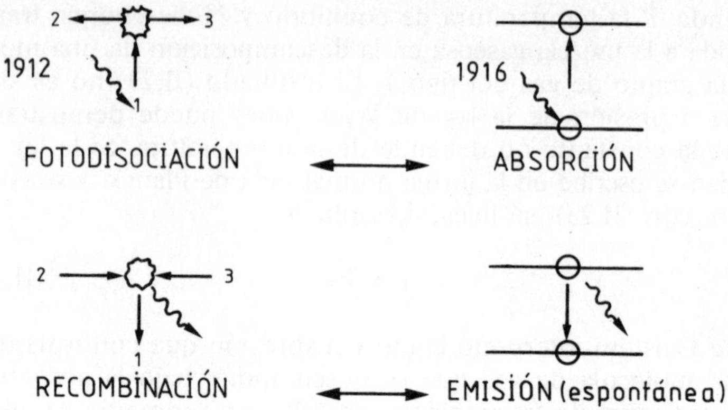

En tal analogía no hay lugar para la emisión estimulada y en el año 1916 Einstein puso de relieve lo que ya en 1912 se había manifestado: con sólo dos procesos elementales (sin emisión estimulada) no se llega más allá de la ley de Wien, mientras que con el tercer proceso será posible obtener la ley de Planck y quizás otras conclusiones más importantes en la línea de la entronización del *quantum* de luz.

En cualquier caso, hay que destacar la desaparición, en 1912, de los osciladores intermediarios entre materia y radiación, lo cual creemos constituyó un elemento importante en la preparación del camino hacia el punto final. La escena empezaba a montarse definitivamente: una cavidad ocupada por materia y radiación (sobran espejos, resonadores, electrones, etc.) dentro de la cual ocurrían procesos (dos por entonces) en los que la radiación podía ser absorbida o emitida.

En una comunicación privada, el profesor M. J. Klein nos ha hecho reparar en el eventual papel que se podría asignar a un artículo de Einstein de 1914,[62] con relación a la conexión que hemos señalado entre los trabajos de 1912 y 1916-1917. En el artículo se afirma concretamente que:

> «... la fórmula de la radiación de Planck y el teorema de Nernst pueden ser deducidos de una manera puramente termodinámica mediante la utilización de

las ideas básicas de la teoría cuántica, sin la ayuda suplementaria del principio de Boltzmann».[63]

Ciñéndonos a uno de los dos objetivos señalados, el de la radiación, que es el que nos interesa, no cabe duda que hay más de un elemento a considerar en este párrafo sobre todo en relación a la continuidad en la evolución del pensamiento einsteiniano acerca del *quantum* de luz. En primer lugar, se hace referencia a «ideas básicas» cuánticas; ello implica, por pura coherencia, la no utilización del electromagnetismo de Maxwell, lo que se pondrá claramente de manifiesto en los trabajos de 1916-1917. Las «ideas básicas de la teoría cuántica» se referían a la consideración de moléculas de gas portadoras, cada una de ellas, de un resonador del que, de momento, no se especifica su naturaleza, pero cuya energía sólo podía tomar valores discretos múltiplos de $h\nu$, siendo ν la frecuencia de los resonadores monocromáticos introducidos.

Surge así, creemos que por primera vez con contundencia, una inversión metodológica clave: se partía de una hipótesis cuántica. Con ella, y con razonamientos termodinámicos adicionales, se llegaba a la fórmula de Planck para la energía media del resonador monocromático unidimensional; en el mismo trabajo se generalizaba al caso de varios grados de libertad. Es bien posible que esta decidida inclusión de las hipótesis cuánticas, en sustitución de otras de naturaleza clásica, estuviera ligada a la aparición del modelo de Bohr para la teoría de los espectros. De todas formas hay que señalar que, aunque el trabajo de Einstein de 1914 consta como expuesto en sesión académica el 24 de julio del mismo año, en él no aparece alusión alguna a Bohr ni a sus trabajos de 1913.

Las referencias a las deducciones termodinámicas y a la no utilización del principio de Boltzmann podrían tomarse, a primera vista, como una incoherencia con el enfoque mecánico-estadístico bajo el cual, según venimos sosteniendo, Einstein trataba el problema de la radiación del cuerpo negro. Obviamente, no existe tal incoherencia: en el trabajo se puede comprobar que el cálculo termodinámico puro se aplica al gas constituido por moléculas (materia), no a la radiación. Y la mecánica estadística, como hemos visto en el capítulo anterior, ya se había aplicado satisfactoriamente a la fundamentación de la termodinámica de los gases materiales.

Otro elemento de continuidad interesante podría ser la incorporación del resonador a la molécula. No cabe duda de que es una forma intermedia entre la descripción de 1912 y la de 1916-1917. El paso siguiente «se ve venir» en la línea de un procedimiento usual de Einstein, en éste y otros campos: eliminar lo innecesario, en este caso los resonadores, introduciendo constituyentes moleculares de, al menos, dos niveles energéticos. Einstein también señalaba, en este trabajo de 1914, que dos moléculas se podían considerar químicamente diferentes cuando las energías de sus respectivos resonadores lo fueran, con lo que conceptos de cambio físico y cambio químico de una molécula no resultaban esencialmente distintos. Así, el terreno parecía absolutamente preparado para el reemplazo definitivo de las reacciones químicas entre moléculas (1912) por el de transiciones entre niveles de energía (1916-1917).

6
Los procesos elementales direccionales (1916-1917)

Ya hemos señalado que el contenido del famoso artículo de 1917 había sido publicado el año anterior en una revista escasamente conocida.[10] Por ello nos referiremos a él como al trabajo de 1916-1917. En ambos casos el contenido es exactamente el mismo, con dos partes muy bien diferenciadas: la deducción de la ley de Planck y la direccionalidad de los procesos elementales introducidos para tal fin. La parte correspondiente a la deducción de la ley de Planck ya había sido publicada con anterioridad, también en 1916.[64] Pero este artículo no suele ser citado más que en raras ocasiones. No obstante, hay que coincidir con Klein en que aunque «su razonamiento básico y sus resultados vuelven a aparecer en el siguiente trabajo de Einstein [el de 1916-1917], más completo y más accesible, vale la pena prestarle mayor atención [al de 1916] por la información que proporciona respecto del tratamiento einsteiniano del problema».[65] En efecto, en la introducción del trabajo, Einstein comenzaba recordando que, aunque la teoría desarrollada por Planck hacía dieciséis años condujo a una fórmula para la radiación indudablemente válida, la deducción fue «excesivamente atrevida» y la teoría se basaba en «hipótesis contradictorias», lo que producía «gran insatisfacción en el propio Planck y en los teóricos que se ocupan de esa materia». Esta introducción acababa así:

> «Desde que la teoría de Bohr sobre los espectros consiguió sus grandes éxitos, no existe ninguna duda de que deben mantenerse los fundamentos de la teo-

ría de los *quanta.* La uniformidad de la teoría así construida muestra que las consideraciones mecánico-electromagnéticas que condujeron a Planck a su fórmula deben ser reemplazadas por consideraciones cuánticas teóricas sobre la interacción entre materia y radiación. Razonamientos de este tipo me han llevado a la siguiente reflexión, que me atrajo por su sencillez y generalidad».[66]

El programa mecánico-estadístico había llegado al último peldaño. La estructura cuántica de la radiación se imponía como hipótesis avalada por los distintos trabajos de Einstein entre 1905 y 1916 y, sobre todo, por la teoría de Bohr. Tan sólo faltaba establecer el mecanismo regulador de la interacción entre los componentes elementales de la radiación (los *quanta*) y los de la materia (los resonadores). La física que rige esta interacción fue la gran novedad que Einstein presentó en 1916, si bien en el mismo año los resonadores fueron definitivamente reemplazados en el esquema por moléculas materiales susceptibles de experimentar transiciones bohrianas.

No vamos a reproducir aquí la deducción que Einstein incluyó en su famoso trabajo de 1916-1917[10] de la fórmula de Planck. Es un resultado demasiado conocido. Pero hay algunos aspectos que sí nos interesa resaltar. Insistamos en que éste fue el momento en que Einstein se libró definitivamente de espejos, osciladores, resonadores y demás intermediarios. Pasó a considerar simplemente un gas material en equilibrio con la radiación. Cada molécula de este gas sólo podía existir en ciertos estados Z_1, Z_2, ..., con energías correspondientes ε_1, ε_2, ... La hipótesis de equilibrio térmico a la temperatura T sugería la colectividad canónica como modelo mecánico-estadístico apropiado. Así, el número de moléculas en un estado Z_n será proporcional a la probabilidad respectiva W_n dada por

$$W_n = p_n e^{-\varepsilon_n/kT} \qquad \text{(II.25)}$$

donde p_n representa el peso estadístico del estado Z_n, que no depende de la temperatura de equilibrio. Una molécula podía efectuar transiciones hacia estados de energía mayor absorbiendo de la radiación la diferencia de energías, y hacia estados de energía menor emitiendo la diferencia en forma de energía radiante.

Las leyes que gobiernan estos procesos de absorción y emisión fueron enunciadas por Einstein en el segundo apartado del famoso trabajo de 1916-1917:

a) Emisión espontánea *(Ausstrahlung)*. En este proceso, la molécula pasa de un estado Z_m a otro de energía inferior Z_n, emitiéndose la energía $\varepsilon_m - \varepsilon_n$ en forma de radiación de frecuencia ν, sin ninguna estimulación externa. Einstein asignó a la probabilidad dW de que este suceso ocurra en el intervalo de tiempo dt el valor

$$dW = A_m^n \, dt \qquad (II.26)$$

donde A_m^n representaba una constante característica de los estados en cuestión. El apartado acaba con un comentario que, como tendremos ocasión de señalar, podría tener una significación mucho mayor que la que hasta ahora se le ha asignado:

> «La ley estadística que hemos supuesto es análoga a la de una reacción radiactiva, y el proceso elemental aquí supuesto correspondería a una reacción en la que únicamente se emitieran rayos γ».[67]

b) Procesos inducidos por la radiación *(Einstrahlung)* de frecuencia ν y densidad ρ. Pueden darse dos tipos de transiciones:
i) la molécula pasa del estado Z_n al estado Z_m absorbiendo de la radiación la energía $\varepsilon_m - \varepsilon_n$, con la hipótesis de que la correspondiente ley de probabilidad es de la forma

$$dW = B_n^m \, \rho \, dt \qquad (II.27)$$

siendo B_n^m una constante.

ii) la molécula pasa del estado Z_m al estado Z_n emitiendo la energía radiante $\varepsilon_m - \varepsilon_n$ de acuerdo con la ley

$$dW = B_m^n \rho \, dt \tag{II.28}$$

siendo B_m^n otra constante.

La condición de equilibrio vendrá dada por

$$p_n e^{-\varepsilon_n/kT} B_n^m \rho = p_m e^{-\varepsilon_m/kT} (B_m^n \rho + A_m^n) \tag{II.29}$$

Por supuesto, si no hubiera tres procesos elementales sino sólo dos, como en los trabajos de 1912[12] sobre la ley del equivalente fotoquímico, donde se prescindía de la emisión inducida ($B_m^n = 0$), se obtendría la ley de Wien en la forma

$$\rho = \frac{p_m A_m^n}{p_n B_n^m} e^{-(\varepsilon_m - \varepsilon_n)/kT} \tag{II.30}$$

Por el contrario, si se despeja ρ de (II.29), es decir, considerando tres procesos elementales, se llega a la ley de Planck.

Einstein supuso explícitamente que ρ había de tender hacia infinito con T, lo que significaba admitir resultados válidos fuera de la zona de Wien; con ello (II.29) conducía a

$$p_n B_n^m = p_m B_m^n \tag{II.31}$$

De (II.29) y (II.31) se obtenía la expresión

$$\rho = \frac{A_m^n / B_m^n}{e^{(\varepsilon_m - \varepsilon_n)/kT} - 1} \tag{II.32}$$

Para la identificación de las constantes A_m^n y B_m^n Einstein recurrió a la «ley del desplazamiento» de Wien $[\rho = \nu^3 f\left(\frac{\nu}{T}\right)]$ que, comparada con (II.32), permitía obtener

$$\frac{A_m^n}{B_m^n} = \alpha \nu^3 \qquad \text{(II.33)}$$

y

$$\varepsilon_m - \varepsilon_n = h\nu \qquad \text{(II.34)}$$

donde α y h representaban las correspondientes constantes de proporcionalidad. La expresión (II.34) constituía, en opinión de Einstein, la hipótesis de Bohr de la teoría de los espectros y, por supuesto, también contenía la ley del equivalente fotoquímico.

Aunque se había deducido la ley de Planck a partir de hipótesis cuánticas y, sin otros requisitos básicos que una situación de equilibrio estadístico, se llegaba a que todos los procesos de naturaleza discreta implicaban una misma cantidad de energía elemental hν que se intercambiaba con el campo de radiación, no era éste el resultado esencial del trabajo. Y así lo debía de pensar el propio Einstein, pues todo ello ya se encontraba en el primer artículo de 1916.[64] En la correspondencia con Besso no se encuentra otra referencia a dicho trabajo que una carta de fecha 14 de mayo de 1916 (este artículo consta como recibido para su publicación el 17 de julio, por lo que cabe pensar que, cuando menos, la idea ya existía):

> «He encontrado una bella simplificación de la deducción termodinámica de la ley hν en fotoquímica, a la manera de Van't Hoff».[68]

Por el contrario, el contenido del famoso trabajo de 1916-1917[10] le mereció opinión muy diferente, como se desprende, por ejemplo, de la propia correspondencia con Besso:

> «He tenido un rayo de luz acerca de la absorción y emisión de radiación; te va a interesar. Una demostración verdaderamente sorprendente de la fórmula de Planck, yo diría incluso *la* demostración. Y todo com-

pletamente cuántico. Estoy preparando la redacción de este trabajo».[69]

«Te he enviado, hace ya tiempo, mis trabajos sobre gravitación y sobre la fórmula de Planck. El segundo te gustará. El desarrollo es completamente cuántico y se llega a la fórmula de Planck. Se puede demostrar de modo convincente que los procesos elementales de la emisión y de la absorción son procesos direccionales... Esta demostración... se hace igualmente sin acudir a ningún razonamiento relevante de la teoría ondulatoria».[70]

«Lo importante es que las consideraciones *estadísticas* que llevan a la fórmula de Planck han sido *sistematizadas* y que... en todo intercambio elemental de energía entre la radiación y la materia, el impulso $h\nu/c$ es transferido a la molécula. Se deduce que todo proceso elemental de este tipo es un proceso *completamente orientado*. Así, la existencia de los *quanta* queda demostrada».[71]

Incluso en el mismo trabajo, a la hora de comentar las conclusiones, Einstein señalaba como resultado principal esta direccionalidad de los procesos elementales. Le debió de parecer más importante completar la descripción física de los procesos elementales que demostrar la mismísima ley de Planck. Pensemos que resaltar el adjetivo «estadísticas» en el último párrafo no hace sino corroborar nuestra tesis: las consideraciones estadísticas se sobrevaloran respecto de las consideraciones termodinámicas antes citadas.[68] No podía ser de otro modo en pura lógica mecánico-estadística, puesto que las segundas tienen su fundamento en las primeras.

También en este momento nos parece que se confirma el carácter esencialmente mecánico-estadístico del programa einsteiniano. Creemos evidente que si Einstein sólo hubiera concebido la mecánica estadística como una herramienta, aunque fuera esencial, para resolver el enigma de la ley de

Planck, el asunto quedaba zanjado con la parte comentada, la primera del famoso artículo de 1916-1917. Pero la actuación de Einstein no iba en esa dirección pues continuó, en el mismo trabajo, ocupándose del problema de las fluctuaciones; en concreto, del significado y de las implicaciones de la expresión (II.16) introducida en el año 1909. En nuestra opinión ello podría interpretarse como una manifestación más de la continuidad que se observa en la evolución del pensamiento einsteiniano. Su interés continuado por el tema de las fluctuaciones (no se olvide que fue éste el problema que le llevó hasta la radiación del cuerpo negro) sería fácilmente comprensible: el programa mecánico-estadístico se había detenido en el estudio de la radiación y una vez aclarada la constitución de ésta en términos de *quanta,* era natural plantearse la coherencia de este resultado con el punto de partida (las fluctuaciones).

No hace falta insistir en que la visión generalmente aceptada es más bien la opuesta: existía una necesidad urgente de resolver el problema de la radiación del cuerpo negro y hacia él se dirigió Einstein equipado con todas sus habilidades, entre ellas la mecánica estadística. La diferencia de puntos de vista podría parecer irrelevante, sobre todo en el problema que nos ocupa. Posiblemente ello sea cierto si uno sólo está interesado por los resultados finales de la teoría cuántica de Einstein. Pero es distinto para quien también se interesa por las motivaciones, la metodología y demás. En cualquier caso sólo estos últimos no se extrañarán de que el famoso trabajo de 1916-1917 no acabe con la demostración de la ley de Planck y, por el contrario, se dedique la otra mitad del artículo a ciertas consideraciones y cálculos (fundamentalmente de naturaleza estadística) que no proporcionan sino coherencia a los resultados anteriores.

Fue en el cuarto apartado del trabajo,[10] una vez deducida la fórmula de Planck, donde Einstein retornó al problema mecánico-estadístico de las fluctuaciones para investigar los movimientos que las moléculas ejecutan bajo la influencia de la radiación, afirmando explícitamente que volvería a utilizar métodos empleados anteriormente para cálculos numéricos de movimientos en presencia de radiación. Se refería, naturalmente, al esquema del *Gendanken-Experiment* de 1909, volviendo a escribir las expresiones (II.13), (II.14), (II.15) y (II.16), sólo que para ello no hacía falta ya recurrir a espejos ni resonadores misteriosos sino a moléculas que se veían frenadas por la radiación, ya que aunque ésta «es la misma en todas las direcciones, a causa del movimiento de la molécula, ésta sentirá una fuerza que actúa en sentido opuesto a su movimiento, proveniente de la radiación». Dicha fuerza la escribió en la forma Rv, donde R es una constante por determinar. «Esta fuerza acabaría por detener la molécula si la irregularidad de la acción de la radiación no implicara que durante un tiempo τ un momento variable Δ fuese transferido a la molécula.»[72] Para que haya equilibrio la distribución de velocidades se ha de mantener, lo que lleva a (II.16) a través de (II.13), (II.14) y (II.15).

La investigación que se propuso suponía un nuevo uso de (II.16). No se empleó de «derecha a izquierda» (como en 1909), ni de «izquierda a derecha» (como en 1910 y 1913) sino que Einstein sugirió un test: calcular $\overline{\Delta^2}$ y R a partir de las nuevas hipótesis sobre procesos elementales y estos valores, junto con la la ley de Planck ya demostrada, deben hacer que la expresión (II.16) se satisfaga idénticamente. Se trataba propiamente de un contraste de las hipótesis empleadas, adicional a su aptitud para obtener la ley de Planck. Hay que insistir: estamos ante una prueba de compatibilidad a la que se llegó analizando un problema estadístico de fluctuaciones de un sistema en equilibrio térmico.

En el quinto apartado, destinado al cálculo de R, se utilizó la simplificación de que el movimiento tuviera lugar en una dimensión. Como Rvτ es el cambio experimentado por el momento mv de una molécula, en el tiempo τ, por efecto de la radiación, había que calcular el momento medio transferido por la radiación a la molécula, por unidad de tiempo, a partir de las propiedades asignadas a los procesos elementales. Las hipótesis sobre absorción y emisión se habían formulado para moléculas en reposo, por lo que si la velocidad v en la dirección del eje x estaba referida a un sistema K, había que pasar a otro K', en el que la molécula estuviera en reposo, y así introducir con propiedad en este nuevo sistema de referencia la física de los procesos elementales. Esto, obviamente, no representó un difícil problema para Einstein y no vamos a reproducir los cálculos. Pero si alguien los sigue se podría encontrar con una sorpresa: se utilizan fórmulas del electromagnetismo de Maxwell «que es incompatible con la teoría cuántica». El propio Einstein detectó la inconsistencia y la salvó con este razonamiento:

> «Sea cual fuere la forma de una futura teoría de los procesos electromagnéticos, es seguro que en cualquier caso el efecto Doppler y la ley de la aberración continuarán siendo válidas».[73]

El resto utilizado no era propiamente electromagnetismo, sino relatividad aplicada a partículas sin masa, que se mueven a la velocidad de la luz. Con ello llegó a un resultado final, la expresión para R, que no estaba realmente condicionado por la validez de la teoría de Maxwell, sino que habría de ser válida «... para cualquier teoría de la radiación».[73]

Fue en esta parte del trabajo donde se introdujo por primera vez la hipótesis de la direccionalidad de los procesos elementales, si bien tan sólo en el caso de los procesos inducidos existía contribución al momento medio transferido, al no haber dirección privilegiada alguna en la emisión espontánea. Unicamente por razones de coherencia se establecía la direccionalidad con carácter general: de otra forma, había anticipado Einstein en el segundo apartado, no se obtendría «una teoría cuántica consistente».[74]

En el caso de absorción inducida por un haz de radiación, el momento $(\varepsilon_m - \varepsilon_n)/c$ (c representa la velocidad de la luz) se transfiere a la molécula en la dirección de propagación del haz. Lo contrario sucede en la emisión inducida y se admitía explícitamente que «en el caso en que la molécula estuviera sometida a varios haces de radiación, la energía total $\varepsilon_m - \varepsilon_n$ de un proceso elemental se absorbe o se cede a *uno* de esos haces, de forma que también en este caso el momento

$(\varepsilon_m - \varepsilon_n)/c$ es transferido a la molécula».[74] El balance total daba como resultado

$$R = \frac{h\nu}{c^2 S}\left[\rho - \frac{1}{3}\nu\frac{\partial\rho}{\partial\nu}\right] p_n B_n^m e^{-\varepsilon_n/kT}\left[1 - e^{-h\nu/kT}\right] \qquad (II.35)$$

donde S es utilizada como una abreviatura:

$$S \equiv p_n e^{-\varepsilon_n/kT} + p_m e^{-\varepsilon_m/kT}$$

El penúltimo apartado del trabajo lo dedicó Einstein al cálculo de $\overline{\Delta^2}$. «Es mucho más sencillo calcular la influencia de la irregularidad de los procesos elementales en el comportamiento mecánico de la molécula»,[75] ya que en este caso se podía considerar la molécula en reposo dado el grado de aproximación empleado en todo el trabajo (primer orden en v/c, lo que permitía aplicar mecánica estadística no relativista a la molécula). Sin otra hipótesis adicional que la independencia entre procesos elementales, un cálculo sencillo y corto proporcionaba la fórmula

$$\frac{\overline{\Delta^2}}{\tau} = \frac{2}{3S}\left(\frac{h\nu}{c}\right)^2 p_n B_n^m e^{-\varepsilon_n/kT} \rho \qquad (II.36)$$

para el momento cuadrático medio transferido a la molécula, por unidad de tiempo.

El trabajo finalizaba señalando que la sustitución de (II.35) y (II.36) en (II.16), teniendo en cuenta que ρ satisface la ley de Planck, conducía efectivamente a una identidad, lo que demostraba (o para ser fiel a la terminología einsteiniana «da un gran apoyo a») la validez de las hipótesis introducidas acerca de los procesos elementales. Por supuesto que no había total evidencia de la necesidad de las hipótesis empleadas. Se formularon como condiciones suficientes, intentando «postular un comportamiento teórico cuántico de las moléculas, lo más sencillo posible, que fuera similar al comportamiento del resonador de Planck de la teoría clásica».[76]

Antes de acabar este apartado, dedicado fundamentalmente al estudio del artículo de 1916-1917, hay que señalar el desgraciado contratiempo que podría suponer para el lector que algunos traductores del famoso trabajo al que nos estamos refiriendo no hayan realizado una buena tarea. Una de las traducciones más utilizadas, y a la que hasta ahora no nos habíamos referido, es la incluida en una famosa obra de B. L. van der Waerden.[77] Allí se traduce *Ausstrahlung* por «emisión de radiación» y *Einstrahlung* por «absorción de radiación». La traducción, como hemos visto al referirnos a las propiedades de los procesos elementales, es totalmente desafortunada, porque lleva a la confusión entre «emisión espontánea» (a la que se refiere el trabajo) y emisión (la que se indica en la traducción); y entre «procesos inducidos» (en el trabajo), y «absorción» (en la traducción). El error, tal vez disculpable en un filólogo pero no en un físico, es tanto más incomprensible por cuanto:

i) «Emisión» y «absorción» son términos anteriormente empleados por Einstein con las palabras *Emission* y *Absorption* respectivamente (véase por ejemplo el título del trabajo de la ref. 64). Debía resultar sorprendente que, de forma repentina, inventara palabras nuevas (*Ausstrahlung* y *Einstrahlung*) para designar conceptos usuales.

ii) Cuando Einstein detalla, en el segundo apartado del trabajo, las propiedades del proceso que denomina *Ausstrahlung,* sólo describe una clase de procesos. Si el traductor entiende que se refiere a la «emisión» debería preguntarse por la que falta (la espontánea o la inducida). Otro tanto sucede con *Einstrahlung:* se describen dos procesos, y si se entiende como absorción, sobra uno. Por supuesto, estos dos graves errores iniciales, a los que se suma el loable intento de aclarar lo que ya no resulta posible, hacen que la traducción sea globalmente ininteligible, muy al contrario del artículo original. Otros detalles, como la dependencia o independencia del proceso con la densidad de radiación tampoco han sido una pista para el traductor. La traducción de D. ter Haar,[10] que es la que hemos citado en la bibliografía, a pesar de estar bastante menos difundida, resulta modélica en el aspecto al que nos hemos referido.

7
Algunos comentarios finales

Como ya hemos indicado anteriormente,[71] el convencimiento por parte de Einstein de la validez de las hipótesis cuánticas empleadas en su trabajo de 1916-1917 parecía fuera de toda duda: podía considerarse, además, que el programa mecánico-estadístico de investigación sobre la naturaleza de la radiación se había culminado con éxito al quedar dotados los constituyentes elementales (los *quanta*) de energía y de momento lineal, como las moléculas de materia. En virtud de todo lo anterior, resulta a primera vista sumamente sorprendente un párrafo de una carta a Besso escrita a mediados de 1918:

> «He dedicado innumerables horas a meditar sobre el problema de los *quanta,* por supuesto sin hacer ningún progreso sustancial. Pero ya no dudo en absoluto de la *realidad* de los *quanta* de radiación, aunque aún hoy soy el único con este convencimiento».[78]

El tono pesimista que refleja la misiva anterior lleva forzosamente a interesarse por algunas cuestiones que se plantean en el texto. ¿Por qué no compartía la comunidad científica las convicciones de Einstein? ¿Por qué continuaba éste interesado en el problema de los *quanta* si consideraba demostrada su existencia y establecido su comportamiento? ¿Qué quiso decir Einstein al afirmar que no había conseguido «ningún progreso sustancial» respecto del problema de los *quanta*? Es bien posible que las respuestas a estas cuestiones, si es que existen, no sean del todo claras, ni únicas, ni independientes. Y aunque su análisis no figura entre los objetivos del presente estudio, no nos resistimos a insinuar algunas posibles vías de aproximación.

Parece claro, por las referencias explícitas existentes, que una razón fundamental para la no aceptación de las ideas einsteinianas era la reconocida y pregonada supuesta incompatibilidad de éstas con la teoría maxwelliana del campo electromagnético. Es posible que la valoración del fenómeno de las fluctuaciones actuase de forma distinta en unos y otros. Hemos visto que fue el test que consagró para Einstein la validez de sus hipótesis. Por el contrario, para casi todos los demás, las fluctuaciones constituían un problema académico de escasa relevancia y, por tanto, resultaba inconcebible que sobre la base de razonamientos de este tipo se pudiera pensar seriamente en una profunda revisión (o en una drástica sustitución) de la teoría vigente sobre el campo electromagnético. Contra lo que pudiera pensarse, este punto de vista era el habitual, y lo fue prácticamente hasta 1925. Se optó por mantener a toda costa la imagen maxwelliana para el campo libre y, en la medida de lo posible, investigar con mayor intensidad acerca del mecanismo de la interacción radiación-materia. Todo ello con la esperanza de lograr eliminar cualquier residuo cuántico por innecesario.

Citemos un ejemplo de la filosofía imperante al respecto. Es sabido que el fotón se instaló definitivamente en física tras el descubrimiento y la explicación del efecto Compton en 1922. (El término «fotón» es bastante posterior: lo empleó G. N. Lewis por primera vez en 1926, en una comunicación sobre «La conservación de los fotones» y se consagró definitivamente en el Quinto Congreso Solvay, en octubre de 1927, que se convocó bajo el título «Electrones y fotones».)[79] Bohr, Kramers y Slater, a pesar de tan contundentes aportaciones por parte de Compton, publicaron en 1924 un conocido artículo[80] en el que rechazaban sin ambigüedad el fotón, y con él las hipótesis cuánticas acerca de la radiación, a costa de asignar a ésta, en su interacción con la materia, unas propiedades tan atípicas como la violación de los principios de conservación de la energía y del momento; también se recurría a misteriosos campos virtuales de radiación incompatibles con la causalidad ordinaria. Hoy sabemos que ninguna de estas ideas resulta extraña a la física actual, pero en el trabajo se emplearon exclusivamente en una dirección: la del destierro del *quantum* de luz. Por supuesto, el artículo de Bohr, Kramers y Slater no sirvió para llegar a ninguna conclusión respecto del trabajo de Einstein, pues un año después, en 1925, Bothe y Geiger pusieron de manifiesto experimentalmente lo insostenible de algunas de las hipótesis utilizadas en aquél.[81]

No parece que Einstein pensara nunca seriamente en una liquidación sin más del electromagnetismo de Maxwell. Ya hemos comentado que en 1909 expresó su creencia personal en una venidera síntesis de los aspectos cuánticos y ondulatorios en el problema de la radiación, atreviéndose incluso a sugerir un modelo en el que la energía del campo electromagnético se localizaba en singularidades rodeadas de campos sujetos a superposición de tal forma que, globalmente, el campo resultaba análogo al de Maxwell. Es interesante volver a resaltar su antigua posición:

> «Yo sólo quería utilizarlo [el modelo antes sugerido] para demostrar que dos propiedades estructurales (la ondulatoria y la cuántica), ambas necesariamente adscritas a la radiación en virtud de la fórmula de Planck, no se han de considerar necesariamente como mutuamente incompatibles».[82]

¿A qué achacar entonces la insatisfacción de Einstein ante su propia teoría cuántica? En nuestra opinión, puede que hubiera dos razones de naturaleza completamente diferente. Pensamos que Einstein insinuaba una de ellas en el trabajo de 1916-1917 con estas palabras:

> «Las propiedades de los procesos elementales ... parece que hacen prácticamente inevitable la formulación de una teoría esencialmente cuántica de la radiación.

La debilidad de la teoría radica, por un lado, en el hecho de que no aporta ninguna conexión con la teoría ondulatoria y, además, en que deja el momento y la dirección de los procesos elementales "al azar"; en cualquier caso, yo tengo una fe total en la validez del método utilizado».[83]

La reconciliación entre los aspectos cuánticos y los ondulatorios de la radiación fue un anhelo de Einstein que éste mantuvo hasta su muerte. En 1924 escribía a Besso:

> «Mis nuevos esfuerzos los estoy dedicando a intentar la reconciliación entre los *quanta* y el campo de Maxwell. Entre los resultados experimentales de estos últimos años, por decir la verdad, las dos únicas clases de experimentos importantes son los de Stern y de Gerlach por un lado y los de Compton (difusión de radiación Roentgen con cambio de frecuencia) por otro; los primeros demuestran la existencia única de los estados cuánticos, y los últimos, la realidad del impulso de los *quanta* de luz».[84]

Creemos importante insistir en que Einstein admitía la posible reconciliación de aspectos corpusculares y ondulatorios dentro de una misma teoría. No la rechaza *a priori.* Esta posición debe ser tenida en cuenta, mucho más de lo que se hace normalmente, a la hora de profundizar en los intentos por comprender la actitud de Einstein hacia la mecánica cuántica que estaba a punto de aparecer.

Pensamos que existía otra poderosísima razón, la fundamental creemos, para la insatisfacción primero y para la desilusión después, ante el giro que comenzaban a tomar las investigaciones sobre radiación efectuadas por uno de los creadores de la mecánica estadística. El papel que, en los trabajos de 1916-1917, jugaban la estadística y el azar comenzaba a ser preocupante y, sobre todo, ajeno al asignado a ambos en mecánica estadística; empezaban a aparecer a nivel básico, no a modo de herramienta de cálculo, entidades de naturaleza estadística. Si el «cuándo y cómo» de la emisión espontánea se tomaba como un defecto de la teoría (sería lo apropiado con una mentalidad mecánico-estadística extrema), había que buscar la teoría definitiva. Pero si realmente se había llegado a la estructura más fina posible de la radiación, y es lo que Einstein pretendía en principio haber logrado, el papel que allí jugaba el azar llevaría a implicaciones que podrían afectar al mismo principio de causalidad. El dilema era fuerte y Einstein se inclinó por considerar su teoría cuántica, y la posterior mecánica cuántica, como teorías válidas provisionalmente, pero esencialmente incompletas. De otra forma intuyó que peligraría el principio de causalidad. Y la validez de éste, para Einstein, pertenecía a otra escala de valoración, como lo prueban estas frases separadas en el tiempo (1917, 1920 y 1924):

> «Tengo la sensación de que aún no hemos captado verdaderamente la clave del problema que nos ha propuesto el eterno inventor de enigmas».[85]

> «El tema de la causalidad me crea grandes dificultades. ¿Podrá entenderse alguna vez la emisión y absorción de radiación ajustándose a una causalidad estricta o habrá siempre una componente estadística residual? Desde luego, en este asunto, no tengo el valor que proporciona la fe. Pero he de reconocer que caso de tener que renunciar a una causalidad *completa* me sentiría muy desafortunado».[86]

> «La idea de que un electrón liberado por un rayo de luz pueda escoger *a su antojo* el momento y la dirección del vuelo me resulta intolerable. Si así resultara, finalmente preferiría haber sido zapatero remendón o incluso empleado de un casino antes que físico».[87]

Unicamente nos resta añadir que la solución vigente al problema, instaurada a partir de 1925 en la física, nunca fue una solución definitiva para Einstein, pues se había decantado por una vía inadmisible para él al adoptar el carácter estadístico como esencial en el comportamiento de toda realidad física elemental, eliminando la causalidad clásica estricta de entre los principios básicos. El resto de su vida lo dedicó a poner de manifiesto lo inapropiado de la elección y a la búsqueda de una alternativa. En ambos casos puede decirse que fracasó, y la amargura que ello le causó se detecta en la carta a Besso con que abríamos el capítulo. Está fechada el 12 de diciembre de 1951, tres años y medio antes de su muerte, y puede muy bien tomarse como glosario de su posición final ante la teoría cuántica:

> «Un total de cincuenta años de especulación consciente no me ha acercado a la respuesta a la cuestión "¿qué son los *quanta* de luz?". Es cierto que hoy día cualquier bribón cree saber la respuesta, pero se equivoca».[1]

Referencias y notas del Capítulo II

1. EINSTEIN, A.: Carta a M. Besso, 12 de diciembre de 1951, en *Albert Einstein, Correspondance avec Michele Besso 1903-1955,* P. Speziali (ed.), Hermann, París, 1979, pág. 265.
2. KLEIN, M. J.: «Thermodynamics in Einstein's Tought», *Science 157,* 1967, págs. 509-516.
3. EINSTEIN, A.: «Über einen die Erzeugung und Verwandlung des Lichtes betreffenden heuristischen Gesichtspunkt», *Annalen der Physik 17,* 1905, págs. 132-148. Hay versión inglesa de A. B. Arons y M. B. Peppard, *American Journal of Physics 33,* 1965, págs. 367-374, y otra posterior de D. ter Haar en *The Old Quantum Theory,* Pergamon Press, Oxford, 1967, págs. 91-107.
4. EINSTEIN, A.: «Kinetische Theorie des Wärmegleichgewichtes und des zweiten Hauptsatzes der Thermodynamik», *Annalen der Physik 9,* 1902, págs. 417-433.
5. EINSTEIN, A.: «Eine Theorie der Grundlagen der Thermodynamik», *Annalen der Physik 11,* 1903, págs. 170-187.
6. EINSTEIN, A.: «Zur allgemeinen molekularen Theorie der Wärme», *Annalen der Physik 14,* 1904, págs. 354-362.
7. GIBBS, J. W.: *Elementary Principles in Statistical Mechanics,* Yale University Press, 1902. Reimpreso por Ox Bow Press, Woodbridge, Connecticut, EEUU, 1981.
8. EINSTEIN, A.: *Ibid.,* 1904, véase ref. 6, pág. 360.
9. KUHN, T. S.: *Black-Body Theory and the Quantum Discontinuity 1894-1912,* Oxford University Press, Londres, 1978. Hay versión castellana de M. Paredes: *La Teoría del Cuerpo Negro y la Discontinuidad Cuántica 1894-1912,* Alianza Ed., Madrid, 1980, pág. 202 de la versión castellana.
10. EINSTEIN, A.: «Zur Quantentheorie der Strahlung», *Mitteilungen der Physikalischen Gesellschaft Zürich 16,* 1916, págs. 47-62. Una reedición del mismo trabajo se publicó en *Physikalische Zeitschrift 18,* 1917, págs. 121-128, y esta última es la referencia generalmente citada. Hay versión inglesa de D. ter Haar en *The Old Quantum Theory,* Pergamon Press, Oxford, 1967, págs. 167-183.
11. BERGIA, S. y NAVARRO, L.: «Recurrences and Continuity in Einstein's Research on Radiation between 1905 and 1916», *Archive for History of Exact Sciences 38,* 1988, págs. 79-99.
12. EINSTEIN, A.: «Thermodynamische Begründung des photochemischen Äquivalentgesetzes», *Annalen der Physik 37,* 1912, págs. 823-838 y *38,* 1912, págs. 881-884. El último es un *addendum* al anterior. Puede consultarse también al respecto «Déduction thermodynamique de la loi de l'équivalence photochimique», *Journal de Physique 3,* 1913, págs. 277-282.
13. EINSTEIN, A.: «Autobiographical Notes», en *Albert Einstein: Philosopher-Scientist,* P. A. Schilpp (ed.), The Library of Living Philosophers, Cambridge University Press, Londres, 1970, págs. 47 y 49. Primera edición en 1949.

14. KLEIN, M. J.: «Thermodynamics and Quanta in Planck's Work», *Physics Today 19,* 1966, pág. 27.
15. PAIS, A.: *«Subtle is the Lord...» The Science and the Life of Albert Einstein,* Oxford University Press, Londres, 1982. Hay versión castellana de F. Alsina: *«El Señor es Sutil...» La Ciencia y la Vida de Albert Einstein,* Ariel, Methodos, Barcelona, 1984, págs. 53 y 380 de la versión castellana.
16. PLANCK, M.: Carta a R. W. Wood, 7 de octubre de 1931, en *The Genesis of Quantum Theory (1899-1913),* A. Hermann, traducido del alemán por C. W. Nash, MIT Press, Cambridge, Massachusetts, 1971, págs. 23 y 24.
17. EINSTEIN, A.: *Ibid.,* 1905, véase ref. 3, pág. 98 de la versión de Ter Haar.
18. KLEIN, M. J.: *Ibid.,* 1966, véase ref. 14, págs. 23-32.
19. EINSTEIN, A.: *Ibid.,* 1905, véase ref. 3, págs. 98-99 de la versión de Ter Haar.
20. *Ibid.,* pág. 102.
21. TER HAAR, D.: *Ibid.,* 1967, véase ref. 3, pág. 15.
22. EINSTEIN, A.: *Ibid.,* 1905, véase ref. 3, pág. 105 de la versión de Ter Haar.
23. MILLIKAN, R. A.: «Einstein's Photoelectric Equation and Contact Electromotive Force», *The Physical Review 7,* 1916, págs. 18-32.
24. MILLIKAN, R. A.: «A Direct Photoelectric Determination of Planck's Constant "h"», *The Physical Review 7,* 1916, págs. 355-388.
25. Citado por A. Pais, *ibid.,* 1982, véase ref. 15, pág. 386 de la versión castellana.
26. MILLIKAN, R. A.: Citado por A. Pais, *íbid.,* 1982, véase ref. 15, pág. 361 de la versión castellana.
27. *Ibid.,* pág. 387.
28. EINSTEIN, A.: en *La Théorie du Rayonnement et les Quanta,* Actas del Primer Congreso Solvay, P. Langevin y M. de Broglie (eds.), Gauthier-Villars, París, 1912, pág. 443.
29. EINSTEIN, A.: Carta a M. Besso, 13 de mayo de 1911, véase ref. 1, pág. 13.
30. PAIS, A.: *Ibid.,* 1982, véase ref. 15, págs. 387-390 de la versión castellana.
31. EINSTEIN, A.: «Zur Theorie der Lichterzeugung und Lichtabsorption», *Annalen der Physik 20,* 1906, págs. 199-206.
32. KLEIN, M. J.: «No Firm Foundation: Einstein and the Early Quantum Theory», en *Some Strangeness in the Proportion: A Centennial Symposium to Celebrate the Achievements of Albert Einstein,* H. Woolf (ed.), Addison Wesley, Nueva York, 1980, pág. 171.
33. EINSTEIN, A.: *Ibid.,* 1906, véase ref. 31, pág. 199.
34. *Ibid.,* pág. 203.
35. EINSTEIN, A.: «Die Plancksche Theorie der Strahlung und die Theorie der spezifischen Wärme», *Annalen der Physik 22,* 1907, págs. 180-190, y 800.
36. KLEIN, M. J.: «Einstein, Specific Heats, and the Early Quantum Theory», *Science 148,* 1965, págs. 173-180.
37. *Ibid.,* pág. 175.
38. PAIS, A.: *Ibid.,* 1982, véase ref. 15, pág. 404 de la versión castellana.
39. EINSTEIN, A.: Carta a J. Laub, sin fecha exacta, 1908, citada por A. Pais, *ibid.,* 1982, véase ref. 15, pág. 404 de la versión castellana.
40. EINSTEIN, A.: «Zum gegenwärtigen Stand des Strahlungsproblems», *Physikalische Zeitschrift 10,* 1909, págs. 185-193.
41. EINSTEIN, A.: «Entwicklung unserer Anschauungen über das Wesen und die Konstitution der Strahlung», *Physikalische Zeitschrift 10,* 1909, págs. 817-825.
42. PAULI, W.: «Einstein's Contribution to Quantum Theory», en *Albert Einstein: Philosopher-Scientist,* véase ref. 13, pág. 154.
43. EINSTEIN, A.: *Ibid.,* 1909, véase ref. 41, pág. 824.
44. BERGIA, S. y NAVARRO, L.: *Ibid.,* 1988, véase ref. 11, apartados 2 y 3.
45. PAIS, A.: *Ibid.,* 1982, véase ref. 15, pág. 411 de la versión castellana.
46. EINSTEIN, A. y HOPF, L.: «Statistiche Untersuchung der Bewegung eines Resonators in einem Strahlungsfeld», *Annalen der Physik 33,* 1910, págs. 1105-1115.

47. BERGIA, S., LUGLI, P. y ZAMBONI, N.: «Zero-Point Energy, Planck's Law and the Prehistory of Stochastic Electrodynamics. Part I: Einstein and Hopf's Paper of 1910», *Annales de la Fondation Louis de Broglie 4,* 1979, págs. 295-317.
48. DE LA PEÑA, L. y CETTO, A. M.: «Stochastic Electrodynamics, Its Development, Present Situation and Perspectives. A Tutorial Review», en *Stochastic Processes Applied to Physics and other Related Fields,* Proceedings of the Latin American School of Physics, Cali, Colombia, 1982, World Scientific, Singapur, 1983.
49. EINSTEIN, A. y STERN, O.: «Einige Argumente für die Annahme einer molekularen Agitation beim absoluten Nullpunkt», *Annalen der Physik 40,* 1913, págs. 551-560.
50. Puede encontrarse un resumen de la «segunda teoría» de Planck en la ref. 9, capítulo 10.
51. BERGIA S, LUGLI P. y ZAMBONI, N.: «Zero-Point Energy, Planck's Law and the Prehistory of Stochastic Electrodynamics. Part II: Einstein and Stern's Paper of 1913», *Annales de la Fondation Louis de Broglie 5,* 1980, págs. 39-62.
52. LANGEVIN, P. y DE BROGLIE, M.: *Ibid.,* 1912, véase ref. 28.
53. BERGIA S. y NAVARRO, L.: «Continuità nella Ricerca Einsteiniana sui Quanti di Luce e la Teoria della Radiazione: il Ruolo del Lavoro del 1912 sull'Equivalente Fotochimico», en *Atti del VII Congresso Nazionale di Storia della Fisica,* F. Bevilacqua (ed.), Editoriale Overseas, Milán, 1987, págs. 25-34.
54. MEHRA, J. y RECHENBERG, H.: *The Historical Development of Quantum Theory,* Springer Verlag, Nueva York, 1982, vol. 1, pág. 99 y sigs.
55. STARK, J.: «Weitere Bemerkungen über die thermische und chemische Absorption im Bandenspektrum», *Physikalische Zeitschrift 9,* 1908, pág. 892.
56. EINSTEIN, A.: «Antwort auf eine Bemerkung von J. Stark: über eine Anwendung des Planckschen Elementargesetzes», *Annalen der Physik 38,* 1912, pág. 888.
57. HERMANN, A.: *Ibid.,* 1971, véase ref. 16, págs. 72-86.
58. EINSTEIN, A.: Carta a M. Besso, 4 de febrero de 1912, véase ref. 1, pág. 28.
59. BERGIA, S. y NAVARRO, L.: *Ibid.,* 1988, véase ref. 11, apartado 4.
60. EINSTEIN, A.: Carta a E. Warburg de 1912, citada por A. Hermann, *íbid.,* 1971, véase ref. 16, pág. 80.
61. BERGIA, S. y NAVARRO, L.: *Ibid.,* 1986, véase ref. 53, apartado 6.
62. EINSTEIN, A.: «Beiträge zur Quantentheorie», *Verhandlungen der Deutschen Physikalischen Gesellschaft 16,* 1914, págs. 820-828.
63. *Ibid.,* pág. 820.
64. EINSTEIN, A.: «Strahlungs–Emission und –Absorption nach der Quantentheorie», *Verhandlungen der Deutschen Physikalischen Gesellschaft 18,* 1916, págs. 318-323.
65. KLEIN, M. J.: *Ibid.,* 1980, véase ref. 32, pág. 179.
66. EINSTEIN, A.: *Ibid.,* 1916, véase ref. 64, pág. 318.
67. EINSTEIN, A.: *Ibid.,* 1916-17, véase ref. 10, pág. 171 de la versión de Ter Haar.
68. EINSTEIN, A.: Carta a M. Besso, 14 de mayo de 1916, véase ref. 1, pág. 42.
69. EINSTEIN, A.: Carta a M. Besso, 11 de agosto de 1916, véase ref. 1, pág. 48.
70. EINSTEIN, A.: Carta a M. Besso, 24 de agosto de 1916, véase ref. 1, pág. 49.
71. EINSTEIN, A.: Carta a M. Besso, 6 de septiembre de 1916, veáse ref. 1, pág. 50.
72. EINSTEIN, A.: *Ibid.,* 1916-1917, véase ref. 10, pág. 174 de la versión de Ter Haar.
73. *Ibid.,* pág. 178.
74. *Ibid.,* pág. 172.
75. *Ibid.,* pág. 180.
76. *Ibid.,* pág. 181.
77. VAN DER WAERDEN, B. L.: (ed.), *Sources of Quantum Mechanics,* North-Holland, Amsterdam, 1967. La traducción a la que nos referimos se debe a G. Field, como se indica en el prólogo.
78. EINSTEIN, A.: Carta a M. Besso, 29 de julio de 1918, véase ref. 1, pág. 77.

79. MEHRA, J.: *The Solvay Conferences on Physics, Aspects of the Development of Physics since 1911,* D. Reidel, Dordrecht, 1975, págs. 133-152.
80. BOHR, N., KRAMERS, H. A. y SLATER, C.: «The Quantum Theory of Radiation», *Philosophical Magazine 47,* 1924, págs. 785-822; reproducido en B. L. van der Waerden, *íbid* 1967, véase ref. 77, págs. 159-176.
81. PAIS, A.: *Ibid.,* 1982, véase ref. 15, capítulo 22.
82. EINSTEIN, A.: *Ibid.,* 1909, véase ref. 41, págs. 824-825.
83. EINSTEIN, A.: *Ibid.,* 1916-1917, véase ref. 10, pág. 182 de la versión de Ter Haar.
84. EINSTEIN, A.: Carta a M. Besso, 24 de mayo de 1924, véase ref. 1, pág. 119.
85. EINSTEIN, A.: Carta a M. Besso, 9 de marzo de 1917, véase ref. 1, pág. 61.
86. EINSTEIN, A.: Carta a M. Born, 27 de enero de 1920, en *The Born-Einstein Letters,* M. Born (ed.), traducido del alemán por I. Born, Macmillan, Londres, 1971, pág. 23.
87. EINSTEIN, A.: Carta a H. Born (esposa de M. Born), 29 de abril de 1924, véase ref. 86, pág. 82.

Princeton, 1940.
Lucien Aigner © (B23).

Capítulo III

El nacimiento de la estadística cuántica y su relación con la mecánica ondulatoria (1924-1925)

«La teoría de Einstein sobre los gases, y las breves pero infinitamente profundas consideraciones que ella sugirió, constituyen el enlace entre las ondas de materia de De Broglie y la mecánica ondulatoria de Schrödinger.»

KLEIN, 1964.[1]

1
Introducción

Hemos puesto de manifiesto en el capítulo anterior la dificultad con que la teoría cuántica de Einstein se encontró a la hora de implantarse como vigente y universalmente aceptada. Se suele afirmar que sólo tras la detección experimental del llamado efecto Compton en 1922 (el trabajo en el que se publicaron los resultados apareció en 1923)[2] pudo considerarse sólidamente instalada en el edificio de la física, pues las consecuencias de los experimentos de Compton difícilmente podían hacerse compatibles con una teoría que incorporara la estructura continua de la radiación entre sus hipótesis.[3] También hemos citado el intento que, en 1924, Bohr, Kramers y Slater protagonizaron al sugerir una teoría alternativa de la radiación que recuperaba la imagen ondulatoria de la misma y proporcionaba una explicación del efecto Compton, aunque fuera a costa de introducir posibles violaciones de la causalidad clásica y de las leyes de conservación de la energía y del momento que sólo tendrían una validez estadística.

Fue en el intervalo que medió entre este último trabajo y la publicación de los resultados del test experimental al que Bothe y Geiger lo sometieron en 1925,[4] cuando la teoría cuántica experimentó un fuerte impulso en una nueva dirección. El test resultó indudablemente negativo para la teoría propuesta y proporcionó, indirectamente, un apoyo adicional a la teoría cuántica de Einstein. En opinión de sus autores

> «... los resultados de los experimentos aquí descritos no están de acuerdo con la interpretación de Bohr

del efecto Compton... Pero no sólo en relación con el efecto Compton, sino también en general, los citados resultados parecen representar grandes dificultades para la nueva teoría de la radiación de Bohr, pues la interpretación del efecto Compton ha sido relacionada muy directamente por Bohr, Kramers y Slater con el punto de vista estadístico de las leyes de conservación de la energía y del momento, en el que la nueva teoría está basada. Es razonable admitir que el concepto del *quantum* de luz posee un mayor grado de realidad que el admitido en esta teoría».[5]

2
Un cometa fugaz: Bose (1924)

El nuevo impulso lo experimentó la teoría cuántica de Einstein en una dirección abierta como consecuencia de una idea original del físico indio Satyendranath Bose, quien en 1924 dedujo la ley de radiación del cuerpo negro, la de Planck, a partir de la hipótesis del *quantum* de radiación, pero asociando a agregados de éstos unas originales propiedades de naturaleza estadística.[6]

Bose había nacido en Calcuta el 1 de enero de 1894; en esa misma ciudad cursó sus estudios superiores y en su universidad dio los primeros pasos de la carrera docente. Pero en 1924 era profesor de la Universidad de Dacca, donde llevaba tres años desarrollando cursos avanzados en física teórica (electromagnetismo, relatividad, teoría atómica, mecánica estadística, etc.). Era un lector crítico de los trabajos de los grandes maestros como Planck, Einstein, Ehrenfest, Bohr y Sommerfeld, y sus principales publicaciones, entre 1918 y 1920, versaban sobre mecánica estadística, elasticidad y teoría atómica.[7]

El hoy famoso trabajo de Bose fue enviado inicialmente a la revista *Philosophical Magazine* pero no fue aceptado para su publicación, a pesar de haber aparecido dos artículos previos de Bose y Saha en dicha revista en 1918 y 1920,[8] debido al informe negativo del árbitro científico.[9] Ello no debió desanimar al físico bengalí, a juzgar por el paso dado a continuación. Dirigió una misiva personal al propio Einstein, por entonces figura universal, solicitando su apoyo en estos términos:

«Respetado señor:

Me he atrevido a enviarle el artículo adjunto para que usted lo examine y me dé su opinión. Estoy deseando saber qué piensa usted sobre él. Verá que he intentado deducir el coeficiente $8\pi\nu^2/c^3$ de la ley de Planck independientemente de la electrodinámica clásica, tan sólo suponiendo que las regiones elementales últimas en el espacio de las fases tienen un volumen h^3. No sé suficiente alemán como para traducir el trabajo. Si usted cree que vale la pena publicarlo, le quedaría sumamente agradecido si tomara las medidas necesarias para su aparición en *Zeitschrift für Physik*. A pesar de ser por completo un extraño para usted, no tengo reparos en hacerle tal petición. Porque todos somos discípulos suyos aunque sólo nos hayamos podido beneficiar de sus enseñanzas a través de sus escritos. No sé si aún recuerda que alguien, desde Calcuta, pidió su autorización para traducir al inglés sus trabajos sobre relatividad. Usted accedió a la solicitud. El libro ya ha sido publicado. Yo fui el que tradujo su trabajo de relatividad general».[10]

El trabajo de Bose, titulado «La ley de Planck y la hipótesis de los *quanta* de luz», debió de impresionar profundamente a Einstein, teniendo en cuenta su reacción ante el mismo: aproximadamente en una semana estudió el trabajo, lo tradujo del inglés al alemán, lo recomendó para su publicación urgente en *Zeitschrift für Physik* y añadió al artículo una nota personal como traductor. Esta aparece al final de la comunicación y reza así:

«Nota del traductor. La deducción de Bose de la fórmula de Planck representa, en mi opinión, un avance importante. El método utilizado suministra también una base para la teoría cuántica de los gases ideales, como expondré en otra ocasión».[11]

La publicación del trabajo, incluida la nota del traductor Einstein, proporcionó un reconocimiento a Bose que, entre otros beneficios, le permitió conseguir un anhelado permiso de dos años para ampliar estudios en el extranjero. A comienzos del otoño del mismo año 1924 llegaba a París con la idea de colaborar en algún trabajo de corte experimental. A través de círculos bengalíes logró tomar contacto personal con Paul Langevin quien, oídas sus pretensiones, le recomendó dirigirse a Madame Curie para trabajar bajo su dirección en radiactividad experimental. Una anécdota al respecto. Durante la entrevista con la famosa investigadora, en inglés, el joven Bose escuchaba con tanto embeleso que cuando Madame Curie le recomendó, teniendo en cuenta otros precedentes, que durante los primeros seis meses se olvidara de la física y se concentrara en el estudio del francés para luego integrarse en el equipo, Bose no fue capaz de hacer saber a su interlocutora que había estudiado francés durante quince años.

No es nuestro objetivo seguir la pista de Bose en Francia (donde se había de relacionar especialmente con los hermanos De Broglie en el año que allí estuvo), ni en Alemania (donde pasó otro año y medio relacionándose, a través de Einstein, con Fritz Haber, Otto Hahn, Lise Meitner y Walter Gordon, entre otros). En las referencias citadas de Blanpied[7] y Mehra-Rechenberg (apartado V.3)[10] se contemplan estas peripecias con detalle. Pero sí nos gustaría indicar sucintamente cómo acabó la aventura europea (y quizá la aventura científica en su aspecto creador) de S. N. Bose, por lo que pudiera aportar respecto al supuesto comportamiento de los mitos científicos.

Dos meses y medio antes de partir hacia Europa, sin haber recibido aún ninguna contestación directa de Einstein, Bose le envió un segundo trabajo en el que estudiaba el problema del equilibrio térmico entre radiación y materia. Einstein también tradujo este segundo artículo y lo envió a *Zeitschrift für Physik,* donde apareció publicado en septiembre de 1924,[12] un mes después del primero. Einstein no sintió el mismo entusiasmo por este trabajo que por el anterior.

Su desacuerdo con el tratamiento dado a las interacciones entre la radiación y la materia lo hizo patente en el comentario personal que añadió y que apareció en la publicación. Comenzaba así:

> «Creo que la hipótesis de Bose concerniente a los procesos elementales en los que interviene la radiación no es válida por las siguientes razones...».[13]

Cuando ambos se reunieron en Berlín, a finales de 1925, parece que Einstein propuso a Bose dos temas de trabajo: el problema de si la nueva estadística implicaba una nueva interacción entre *quanta,* y el análisis de la relación entre la nueva estadística y la mecánica cuántica recién aparecida. Bose no logró avances sustanciales en ninguno de los dos casos,[14] y a finales de 1926 volvió a Dacca, donde consiguió un puesto en la universidad hasta 1945, año en que retornó a la universidad de Calcuta, ciudad en la que murió en 1974. Desde su vuelta de Europa se dedicó esencialmente a la docencia y a la burocracia universitaria, aunque redactó algún trabajo de investigación sobre mecánica estadística y sobre relatividad. En su propia estima, fueron trabajos de escaso interés, según se deduce de sus confesiones a Mehra acerca de su trabajo científico tras la vuelta de Europa:

> «Ya no me volví a dedicar de verdad a la ciencia. Fui como un cometa que apareció una vez y nunca más volvió».[15]

Aunque nuestro interés esté centrado en Einstein, no creemos posible entender con propiedad la evolución de su pensamiento en torno al *quantum* de radiación sin considerar con cierto detalle la sustancial aportación de Bose. Está contenida en el primero de los dos artículos traducidos por Einstein a los que ya nos hemos referido.[6] Se trata de un corto trabajo que ni siquiera está dividido en apartados, y que no incluye referencias explícitas a otros trabajos relacionados con el tema. Las cuatro páginas escasas que ocupa el artículo en la revista terminan con la encomiosa nota del traductor A. Einstein que ya hemos comentado.

El trabajo de Bose comenzaba criticando todas las deducciones existentes de la ley de Planck porque incorporaban, en un estadio u otro de la demostración, la relación

$$\rho_\nu d\nu = \left(\frac{8\pi\nu^2 d\nu}{c^3}\right) E \qquad \text{(III.1)}$$

que liga la densidad de radiación ρ_ν con la energía media E de un oscilador de frecuencia ν (c representa la velocidad de la luz en el vacío). El factor que figura entre paréntesis en (III.1), afirmaba Bose, sólo se había podido deducir a partir del electromagnetismo de Maxwell, lo cual supone una grave incoherencia a la hora de utilizarlo en deducciones que incorporan hipótesis cuánticas como premisas. Einstein, consciente de este defecto de carácter lógico, intentó evitarlo y para ello se vio obligado a utilizar la «ley del desplazamiento» de Wien. Así, el problema tampoco pudo resolverse satisfactoriamente, pues aquélla sólo se justificaba plenamente dentro del marco del electromagnetismo clásico. Bose consideraba que

> «En todos los casos me parece que las deducciones [de la ley de Planck] carecen de fundamentación lógica suficiente. Por el contrario, la hipótesis de los *quanta* de luz, junto con la mecánica estadística (según la adaptación utilizada por Planck para cubrir las necesidades de la teoría cuántica) parece suficiente para la deducción de la ley, independientemente de toda teoría clásica. En lo que sigue deseo esbozar el nuevo método».[16]

Para conseguir el propósito anunciado, Bose comenzaba considerando la radiación de energía total E encerrada en un volumen V, integrada por N_s *quanta* de energía $h\nu_s$ ($s = 0$ hasta $s = \infty$). La energía total se puede expresar en la forma

$$E = \sum_s N_s h\nu_s = V \int \rho_\nu d\nu \qquad \text{(III.2)}$$

Para Bose, buen conocedor de la mecánica estadística, el problema radicaba en encontrar el conjunto de números N_s, «los cuales determinan ρ_ν», tal que la probabilidad de la distribución asociada a estos N_s sea máxima, teniendo en cuenta la ligadura (III.2). Todo en la línea habitual del tratamiento mecánico-estadístico que pasa por una consideración del equilibrio como la situación más probable compatible con las ligaduras macroscópicas. El primer problema, por tanto, consistía en la asignación de una probabilidad a cada distribución posible de *quanta*.

Con tal fin, Bose asoció a cada *quantum* un punto de un espacio de fases de seis dimensiones, en la más pura ortodoxia corpuscular: tres dimensiones espaciales (x, y, z) y las tres correspondientes a los momentos asociados (p_x, p_y, p_z). Estos últimos, al ser $h\nu/c$ la magnitud del momento de un *quantum* de frecuencia ν, deben estar sometidos a la restricción

$$p_x^2 + p_y^2 + p_z^2 = \frac{h^2\nu^2}{c^2} \qquad \text{(III.3)}$$

En el sentido anterior, al intervalo de frecuencias $d\nu_s$ le corresponde un volumen en el espacio fásico que se obtendrá integrando con respecto al resto de las variables:

$$\int dx\,dy\,dz\,dp_x\,dp_y\,dp_z = V\,4\pi \left(\frac{h\nu}{c}\right)^2 d\left(\frac{h\nu}{c}\right) = 4\pi \frac{h^3\nu^2}{c^3} V d\nu \qquad \text{(III.4)}$$

Si se subdivide el volumen total del espacio fásico en celdas de volumen h^3, el número de celdas correspondientes al intervalo de frecuencias (ν, $\nu+d\nu$) vendrá dado, según (III.4), por $4\pi V\nu^2 d\nu/c^3$.

No hay nada extraño en esta subdivisión del espacio de las fases en celdas. Aunque hoy la concibamos como una consecuencia lógica del principio de incertidumbre, éste no constituye una invocación necesaria. Se podría llegar a la misma conclusión con argumentos del tipo de los utilizados en la teoría cuántica de la primera década del siglo XX (antes de la aparición del modelo atómico de Bohr y de las reglas de cuantización de Bohr-Sommerfeld), que consistían básicamente en emplear métodos clásicos, espacio fásico incluido, con la única salvedad de suponer la restricción que Planck impuso a la energía de un oscilador. Un razonamiento en esta línea podría ser el que sigue. La energía de un oscilador armónico unidimensional sólo puede adoptar los valores $E = nh\nu$ ($n = 0,1,2,...$), y el punto representativo del sistema en el espacio fásico recorre una elipse de ecuación

$$\frac{p^2}{2m} + \frac{mw^2x^2}{2} = E$$

que recubre un área

$$S = \pi\sqrt{2mE}\sqrt{\frac{2E}{mw^2}} = \frac{2\pi E}{w} = \frac{E}{\nu}$$

en dicho espacio. La restricción en la energía impone un área $\phi = nh$, lo que significa que el área elemental, es decir, el área del espacio fásico que correspondería a un único *quantum,* vale h. Extrapolando el razonamiento a tres dimensiones se podía justificar la introducción del factor reductor h^3.

Bose, buen conocedor de la mecánica estadística y de la obra de Planck,[17] era consciente del carácter un tanto heurístico del argumento anterior, por lo que no incluyó ninguna aclaración al respecto, como tampoco lo hizo sobre los dos posibles estados de polarización de los *quanta,* sino que introdujo el factor 2 sin una justificación concreta que, por otra parte, en aquel tiempo no estaba a su alcance ni al de ningún otro físico.[18] Las razones aducidas en el trabajo respecto a ambos puntos se limitaron al siguiente comentario:

> «Respecto a este tipo de subdivisión [en celdas de volumen h^3], nada definitivo cabe decir. Sin embargo, el número total de celdas debe interpretarse como el

de disposiciones posibles de un *quantum* en el volumen dado. Para tener en cuenta la polarización, parece obligado multiplicar este número por el factor 2, de modo que el número de celdas correspondientes a un intervalo $d\nu$ resulta $8\pi V(\nu^2/c^3)d\nu$».[19]

El paso siguiente dado por Bose en su trabajo fue el cálculo de la «probabilidad termodinámica» de un estado definido macroscópicamente. Si N^s denota el número de *quanta* correspondientes al intervalo de frecuencia $d\nu^s$ ¿de cuántas formas diferentes podrán distribuirse éstos entre las celdas disponibles cuyo numero A^s ya hemos visto que vale $8\pi\, V\nu^{s2}d\nu^s/c^3$? Sea p_0^s el número de celdas vacantes, p_1^s el número de celdas que contienen un *quantum,* p_2^s el número de celdas que contienen dos *quanta,* etc. De acuerdo a lo anterior

$$N^s = 0p_0^s + 1p_1^s + 2p_2^s + \ldots = \sum_r rp_r^s \qquad \text{(III.5)}$$

y el número de distribuciones diferentes vendrá dado por

$$W^s = \frac{A^s!}{p_0^s!\, p_1^s!\, \ldots} \qquad \text{(III.6)}$$

donde

$$A^s = 8\pi V \frac{\nu^{s2}}{c^3} d\nu^s = \sum_r p_r^s \qquad \text{(III.7)}$$

La probabilidad del estado determinado por todos los p_r^s, donde el superíndice s caracteriza la frecuencia y el subíndice r la celda atendiendo al nivel de ocupación para cada frecuencia, vendrá dado por

$$W = \prod_s \frac{A^s!}{p_0^s!\, p_1^s!\, \ldots} \qquad \text{(III.8)}$$

La maximización de W, en realidad de log W, restringida por las ligaduras

$$E = \sum_s N^s h\nu^s \quad ; \quad N^s = \sum_r rp_r^s \qquad \text{(III.9)}$$

conducirá, aplicando la aproximación de Stirling en virtud del presumible alto valor de p_r^s, al resultado buscado. Aunque nada se indica al respecto en el trabajo, el máximo del log W se justifica sobre la base de la situación de equilibrio que se trata de estudiar y esta situación, en mecánica estadística y dentro del formalismo microcanónico empleado por Bose, queda caracterizada por el máximo de la entropía compatible con las restricciones impuestas al sistema.

El cálculo variacional ordinario, aplicado a la expresión

$$\log W = \sum_s A^s \log A^s - \sum_s \sum_r p_r^s \log p_r^s \qquad \text{(III.10)}$$

conduce a la solución del problema sin ninguna dificultad, obteniéndose el resultado:

$$p_r^s = B^s e^{-rh\nu^s/\beta} \qquad \text{(III.11)}$$

donde β representa un multiplicador a determinar y el coeficiente B^s viene dado por

$$B^s = A^s \left[1 - e^{-h\nu^s/\beta}\right] \qquad \text{(III.12)}$$

Todo lo anterior permite deducir la distribución de *quanta* para las distintas frecuencias:

$$N^s = \sum_r r p_r^s = \sum_r r A^s \left[1 - e^{-h\nu^s/\beta}\right] e^{-rh\nu^s/\beta} = \frac{A^s e^{-h\nu^s/\beta}}{1 - e^{-h\nu^s/\beta}} \qquad \text{(III.13)}$$

Si se desea, es posible presentar esta solución en términos más acordes con la forma usual de escribir la fórmula de Planck. Basta sustituir A^s en (III.13) por su valor (III.7) y llevar este resultado a la expresión de la energía que figura en (III.9). Así, Bose obtuvo la relación

$$E = \sum_s \frac{8\pi h {\nu^s}^3 d\nu^s}{c^3} V \frac{e^{-h\nu^s/\beta}}{1 - e^{-h\nu^s/\beta}} \qquad \text{(III.14)}$$

Una vez determinados en (III.11) los valores de p_r^s, es trivial el cálculo de la entropía del sistema, que resulta ser

$$S = k \left\{ \frac{E}{\beta} - \sum_s A^s \log \left[1 - e^{-h\nu^s/\beta}\right] \right\} \qquad \text{(III.15)}$$

lo que permite identificar β con kT, en virtud de la relación $\frac{\partial S}{\partial E} = \frac{1}{T}$ que representa la forma habitual de introducir la temperatura absoluta en el formalismo microcanónico. Sustituyendo β por kT en (III.14) se llega a

$$E = \sum_s \frac{8\pi h \nu^{s^3}}{c^3} V \frac{1}{e^{h\nu^s/kT} - 1} d\nu^s \qquad \text{(III.16)}$$

que «es equivalente a la fórmula de Planck», como dice la última frase del famoso trabajo de Bose que estamos analizando.

Es sobre la base proporcionada por este artículo del físico hindú, en nuestra opinión, como hay que entender el siguiente paso en la evolución del pensamiento de Einstein respecto del *quantum* de radiación. Para ello es conveniente reseñar algunos aspectos, que nos parecen cruciales, de la aportación de Bose, que podrían quedar oscurecidos por la presentación esquemática (¿quizás imprecisa?) del trabajo. Incidentalmente, y sin que ello tenga trascendencia alguna, hay que reconocer que en la publicación que comentamos tampoco se cuidó mucho el aspecto puramente formal dc la misma, ya sea por defectos originales, prisas del traductor o errores en la tipografía. A título de ejemplos, simplemente señalemos que el subíndice s, que en la primera parte del trabajo etiqueta las frecuencias, se convierte repentinamente en superíndice a partir de la introducción de los números N^s; que falta el superíndice de ν en (III.7); que falta el volumen V en esa misma expresión (defectos no subsanados en la traducción de Theimer y Ram,[6] no sabemos si por un exceso de celo o por falta de apercibimiento); y otras cuestiones de forma similares, entre las que podríamos incluir la carencia de una identificación explícita de lo representado por los símbolos c, V, S, T, k, etc.

La falta de precisión, no ya en el aspecto formal, sino en el contenido físico del trabajo, es un elemento que nos obliga a hacer algunas consideraciones imprescindibles para nuestro plan. Desde luego, hay que reconocer que se cumplió el objetivo esencial del trabajo, que no era otro que la deducción de la ley de Planck para la radiación sin acudir a hipótesis ni a leyes del electromagnetismo de Maxwell. Pero también nos parece evidente que Bose incluyó en su tratamiento ciertos supuestos y algunas características de los *quanta* que, sin estar explícitamente citadas, resultaban esenciales para alcanzar el objetivo propuesto, al tiempo que representaban innovaciones sustanciales respecto al *status* previo a 1924.

Es obvio que Bose consideró un agregado de partículas *(quanta)* de masa nula, aunque no lo hizo constar expresamente; basta observar la expresión (III.3). Por otro lado, a cada *quantum* se le asociaba un grado de libertad interno (la polarización) con dos valores posibles. Hemos indicado el carácter poco definido que se otorga a la polarización en el trabajo y cómo éste se enmarca, en principio, dentro del formalismo microcanónico clásico, donde resulta totalmente coherente calcular la entropía a partir de la distribución que maximiza la probabilidad del estado macroscópico e introducir la temperatura absoluta como la inversa de la derivada de la entropía respecto de la energía. Pero el tratamiento es sumamente heterodoxo y no plenamente justificado, pues no se desarrolla dentro de un formalismo estricto de la teoría de colectividades. Aparentemente, se comenzaba operando en la colectividad microcanónica (cálculo de la distribución más probable con energía fija y de la entropía correspondiente), pero en ésta el número de partículas ha de ser fijo y en el trabajo esta condición no se impone. Las ligaduras (III.9) no son tales; sólo la referida a la energía constituye una verdadera restricción en el trabajo; la segunda no se emplea como tal y prueba de ello es que al final del trabajo sólo aparece un multiplicador, precisamente el asociado a la conservación de la energía.

Si se observa sólo el resultado, más bien tiende uno a pensar que se ha operado en el formalismo canónico, pero tampoco esta interpretación cabe en sentido riguroso, porque en aquella colectividad la energía fluctúa y en cambio en el trabajo es un dato inicial que se mantiene fijo. Tampoco el formalismo gran-canónico representa un marco al que adaptar el tratamiento de Bose, pues aunque es cierto que no se ha supuesto en la práctica la conservación del número de *quanta*, sí se ha resaltado [ver (III.9)] y se ha utilizado la constancia de la energía del sistema (la radiación), lo cual no es compatible con la utilización de la colectividad gran-canónica.

¿Cómo es posible que se llegue al resultado correcto sin ajustarse a un formalismo preciso? La contestación hoy no es difícil: es sabido que los resultados obtenidos en las diversas colectividades coinciden supuesto un gran número de partículas (se ha aplicado la aproximación de Stirling) y gran volumen (se ha tomado espectro continuo para el momento de los *quanta*). De ahí que la mezcla de colectividades implicada en el trabajo de Bose no haya tenido efectos en el resultado. Un tratamiento coherente actual impone de manera natural el formalismo gran-canónico al permitir fluctuaciones en la energía de la radiación y en el número de *quanta*.[20] Cabe destacar que sobre la base de argumentos prácticamente calcados del razonamiento de Bose se sigue deduciendo en algunos textos escritos muchos años después la distribución que conduce a la fórmula de Planck;[21] ello sólo puede justificarse en el caso de libros dirigidos a estudiantes sin suficiente preparación en mecánica estadística cuántica, pues aunque la colectividad gran-canónica había sido incluida ya en el famoso libro de Gibbs de 1902,[22] el formalismo cuántico preciso sólo se pudo establecer una vez instaurada la mecánica cuántica, como es lógico.

Aparte de los comentarios anteriores respecto a la poco cuidada presentación del trabajo y a la escasa justificación del formalismo empleado (crítica que, por cierto, nunca hemos visto oponer a la contribución de Bose), existen aspectos de mucha mayor importancia que es preciso señalar. Quizá sea la expresión (III.8) para la probabilidad de un estado definido por el conjunto de todos los p_r^s la que tenga un mayor número de implicaciones transcendentes, a pesar de aparecer calificada de evidente *(offenbar)* en la publicación. En virtud de su experiencia docente e investigadora, no parece existir la menor duda de que Bose conocía la forma de asignar probabilidades termodinámicas a sistemas macroscópicos mediante las consideraciones correspondientes en el espacio de las fases; en particular, la expresión de Boltzmann para un sistema de N moléculas de gas, independientes e idénticas, distribuidas de forma que N_0 se asociaran a una subdivisión elemental (celda) C_0, N_1 a C_1,.... La probabilidad termodinámica (relativa) venía dada por

$$W = \frac{N!}{N_0!\, N_1! \ldots} \qquad \text{(III.17)}$$

La distinguibilidad de las partículas clásicas es la responsable de los factoriales de los denominadores en (III.17): el intercambio de partículas correspondientes a celdas distintas conduce a nuevas configuraciones y la probabilidad termodinámica se toma proporcional al número de configuraciones distintas compatibles con los datos macroscópicos; por ejemplo, con la constancia de la energía total y, en (III.8), del número de celdas A^s correspondiente a la frecuencia ν^s.

La comparación de (III.17) y (III.8) parece poner de manifiesto que el razonamiento aplicado por Bose conlleva una traslación crucial de problemas y resultados: lo que en Boltzmann, o en (III.17), eran partículas, en Bose son celdas, y los requisitos de independencia y conservación necesarios se han de suponer para la justificación de (III.8), expresión referida claramente a celdas. Así, el número de éstas ha de estar prefijado, pero ¡no el del número de *quanta* que las ocupan!, que no juega papel de ligadura en ningún momento. La distinguibilidad de las partículas de Boltzmann se traduce en la distinguibilidad de las celdas de Bose, de ahí los factoriales de p_r^s en (III.8). Dado que de los *quanta* la única característica que se maneja en el formalismo es su número, o sea el grado de ocupación de las celdas, la indistinguibilidad de aquéllos no se indica expresamente, pero va implícita en el tratamiento. La desaparición de la idea de distinguibilidad para los *quanta,* y también de la necesaria independencia estadística que ahora sólo se requiere para las celdas en virtud de (III.8), conduce a una consecuencia clara: los *quanta* obedecen a una nueva estadística (distinta de la de Boltzmann, que es la satisfecha por las moléculas de los gases materiales clásicos) en la que los individuos son indistinguibles a todos los efectos y cuya independencia estadística no parece garantizada *a priori,* a pesar de la ausencia de interacciones usuales entre ellos.

En el trabajo de Bose que hemos analizado no se vislumbra pista alguna que permita descubrir su toma de conciencia del hecho de haber practicado con una nueva estadística para los *quanta.* Veremos que Einstein llegó, poco después, mucho más lejos que el propio Bose en lo que a las implicaciones últimas del trabajo de éste se refiere. Sirva para cerrar este apartado, y volver al estudio de las aportaciones de Einstein, que es el foco de nuestro interés primario, el propio reconocimiento de Bose respecto de las limitaciones con que concibió su propio trabajo:

> «No tenía idea de que lo que había hecho era realmente nuevo... No era yo estadístico hasta el punto de saber realmente que lo que hacía era algo verdaderamente distinto de lo que hubiera hecho Boltzmann. En lugar de imaginar el *quantum* de luz como una partícula, yo hablaba de esos estados. En cierto modo, ésa era la misma pregunta que me hizo Einstein cuando nos encontramos [en octubre o noviembre de 1925]: ¿cómo había llegado yo a ese método para deducir la fórmula de Planck?».[23]

3
De los *quanta* a las moléculas de gas: Einstein (1924)

Es un buen momento para volver a Einstein y abordar el análisis de sus últimas aportaciones constructivas y creadoras en el campo de la teoría cuántica, pues es bien sabido que a partir de 1926 la actitud de Einstein se tornó dubitativa y expectante sin llegar a pasar propiamente la barrera que separa la crítica de la creación.[24] Nos parece una buena forma de introducir el tema plantearnos, como lo hace Pais, la siguiente cuestión:

> «Sabemos que si se considera la radiación como un gas de fotones, la estadística correcta es la de Bose-Einstein. Entonces, ¿cómo pudo Einstein conjeturar acertadamente [en 1905] la existencia de los *quanta* de luz, utilizando la estadística de Boltzmann?».[25]

Esta aparente paradoja tiene una clara explicación a la luz de nuestros conocimientos actuales. En el caso $h\nu/kT \gg 1$ (que corresponde al criterio de validez de la ley de Wien), el valor medio para los números de ocupación de las distintas celdas es tan pequeño que la estadística de Bose-Einstein proporciona prácticamente los mismos resultados que la de Boltzmann,[26] a pesar de los presupuestos esencialmente distintos de cada una. Es importante no confundir dos aspectos diferentes aunque ambos involucrados en la estadística de Bose: el carácter cuántico del tratamiento que lleva a considerar celdas en lugar de puntos en el espacio de las fases y espectro discreto para la energía de la radiación de una frecuencia dada, y el atributo de indistinguibilidad asociado a los *quanta*. Son dos aspectos independientes, pues el tratamiento cuántico en determinados casos, como cuando existe cierto grado de localización en las partículas que integran el sistema (por ejemplo, en una red cristalina), es compatible con la distinguibilidad de las partículas. La aproximación $h\nu/kT \gg 1$ implica la pérdida del efecto de la indistinguibilidad, pero no el de la estructura discreta de la radiación y, en efecto, éste fue el detectado por Einstein en 1905: la desigualdad anterior garantizó que operando «a lo Boltzmann» se intuyeran los *quanta*. Lo que sorprende es darse cuenta hoy de que si Einstein hubiera utilizado la fórmula de Planck (la exacta) en lugar de la de Wien (la aproximada), la metodología empleada en 1905 jamás le habría conducido al *quantum* de luz, pues no hay compatibilidad entre ley de Planck, estadística de Boltzmann y cuantización de la energía. Sí la hay, cuando en lugar de la fórmula de Planck se utiliza la de Wien.

No hay que exagerar el entusiasmo de Einstein por las ideas de Bose, a pesar de su interés por el primer trabajo de éste. En la correspondencia con Besso no aparece referencia alguna ni al nombre ni al trabajo del físico hindú. Tampoco en su autobiografía científica[27] menciona a Bose ni su aportación. No obstante, una semana después de enviar el artículo de Bose traducido a *Zeitschrift für Physik,* Einstein presentó una comunicación en la Academia Prusiana de Ciencias (el 10 de julio de 1924), donde aplicaba el método de Bose al estudio del comportamiento de los gases ideales,[28] con un nuevo e interesante resultado, como tendremos ocasión de poner de manifiesto. En realidad este trabajo forma una unidad junto con otro que se publicaría ya en 1925, presentado en la sesión del 8 de enero de ese año también en la Academia Prusiana.[29] ¿Cuál pudo ser el atractivo del trabajo de Bose a los ojos de Einstein?

No nos cabe la menor duda de que una fuerte motivación para valorar positivamente el trabajo de Bose debió de ser el hecho de que por vez primera se obtenía una deducción de la ley de Planck exenta de cualquier relación de dependencia con la electrodinámica clásica. Además, el trabajo de Bose ofrecía la peculiaridad de considerar a los *quanta* de luz como si de partículas ordinarias se tratara, con la única salvedad, aparte de los dos posibles valores para su polarización, de tener masa nula; ello podría interpretarse como un soporte independiente para sus hipótesis sobre la direccionalidad de los procesos elementales, propiedad esencial introducida en 1916 y de la que nos hemos ocupado ampliamente en el capítulo anterior. Finalmente, Einstein debió de percibir inmediatamente, por el escaso tiempo que tardó en reaccionar, que el tratamiento de Bose permitía construir una teoría cuántica de los gases ideales basándose en la analogía formal existente entre gases materiales y gases de *quanta;* analogía, por cierto, ya explorada por Einstein en 1905, aunque en sentido inverso, en su primer trabajo sobre el *quantum* de luz.

La introducción del trabajo de 1924 contiene una clara descripción de los objetivos que Einstein se había propuesto, así como su visión del método propuesto por Bose:

> «Hasta hoy no existe una teoría cuántica del gas ideal monoatómico exenta de hipótesis arbitrarias. En lo que sigue vamos a rellenar esta laguna a partir de un nuevo procedimiento ideado por el Sr. S. N. Bose, en el que este autor ha basado una demostración sumamente importante de la fórmula de la radiación de Planck.
>
> »El método que vamos a utilizar, de acuerdo con Bose, se puede describir así. El espacio de las fases de una estructura elemental (aquí será una molécula monoatómica) correspondiente a un volumen (tridimensional) dado, viene subdividido en "celdas" de dimensión h^3. En presencia de muchas estructuras elementales su distribución (microscópica), significativa desde el punto de vista termodinámico, está caracterizada por las formas según las cuales las estructuras

elementales se distribuyen entre estas celdas. La "probabilidad" de un estado definido macroscópicamente (en el sentido de Planck) es igual al número de los diversos estados microscópicos que, se puede suponer, componen el estado macroscópico. La entropía del estado macroscópico, y con ella el comportamiento estadístico y termodinámico del sistema, queda determinado por el principio de Boltzmann».[30]

Detengámonos en el análisis de la teoría cuántica del gas ideal de Einstein; algunos aspectos del desarrollo resultaron estrechamente ligados con la aparición de la mecánica ondulatoria, como tendremos ocasión de exponer. El primer trabajo, el de 1924,[28] está estructurado en cinco apartados: los dos primeros están dedicados al estudio de las celdas, la probabilidad y la entropía de un estado macroscópico; en el tercero se caracteriza el estado de equilibrio como el de máxima entropía y en los dos últimos apartados se analiza la relación con el tratamiento clásico. Una ligera exposición de la formulación de Einstein nos servirá, entre otros objetivos, para profundizar en su forma de entender (y extender) el tratamiento de Bose, no siempre explícitamente indicado en el trabajo de este último, como hemos comentado anteriormente.

El volumen en el espacio de las fases de una molécula monoatómica viene dado por

$$\phi = \int \dots \int dx\, dy\, dz\, dp_x\, dp_y\, dp_z \qquad \text{(III.18)}$$

La energía correspondiente a un estado de la molécula es

$$E = \frac{1}{2m} (p_x^2 + p_y^2 + p_z^2) \qquad \text{(III.19)}$$

Para un volumen dado V, la región del espacio de las fases en que la energía es igual o inferior a E, tiene un hipervolumen dado por

$$\phi = V \frac{4}{3} \pi (2mE)^{3/2} \qquad \text{(III.20)}$$

Por todo lo anterior, el número de celdas correspondiente a una estrecha banda de energía comprendida entre E y E+ΔE (suponiendo $\Delta E/E \ll 1$) vendrá determinado por

$$\Delta s = \frac{1}{h^3} \frac{\partial \phi}{\partial E} \Delta E = 2\pi \frac{V}{h^3} (2m)^{3/2} E^{1/2} \Delta E \qquad \text{(III.21)}$$

Puesto que el cociente $\Delta E/E$ es muy pequeño, Δs puede resultar un número muy elevado si se consideran volúmenes suficientemente grandes.

El segundo apartado del trabajo lo dedicó Einstein a la definición del estado macroscópico del gas. En la notación utilizada, n representa el número de moléculas presentes, Δn de las cuales poseen energía en la banda comprendida entre E y E+ΔE y, por tanto, ocuparán posiciones en las Δs celdas correspondientes dadas por (III.21), donde V expresa el volumen total ocupado por las n partículas y m la masa individual de las mismas. Supóngase que $p_o \Delta s$ celdas quedan vacías, $p_1 \Delta s$ contienen una molécula, $p_2 \Delta s$ dos, etc. La probabilidad relativa debe caracterizarse no sólo por el subíndice que hace referencia al grado de ocupación sino también, por ejemplo, mediante un superíndice s que *recuerde* la subdivisión a la que corresponde. Así p_r^s indica la probabilidad relativa de que una celda de la subdivisión representada por s (asociada a una cierta banda de energía de una sola partícula) esté ocupada por r moléculas. Es obvio que

$$\sum_r p_r^s = 1, \qquad \text{para cualquier s.} \qquad \text{(III.22)}$$

Si se conociera la descripción microscópica a través de las p_r^s y de Δn, uno podría preguntarse por el número de las posibles distribuciones de las Δn moléculas en el intervalo de energía (es decir, en el número de celdas) considerado. Este número, escribió Einstein, viene dado por

$$W_s = \frac{(\Delta s)!}{\prod_{r=0}^{\infty} (p_r^s \, \Delta s)!} \qquad \text{(III.23)}$$

que no es sino la reproducción de cada factor de la fórmula (III.8), de Bose, aunque adaptándose a la nueva situación. También como allí, y otra vez sin que se indique expresamente, ello lleva implícito la indistinguibilidad de las moléculas (y la distinguibilidad de las celdas). Como la colección de todas las p_r^s proporciona la descripción microscópica del estado macroscópico, la entropía de éste podrá obtenerse a partir de la expresión de Boltzmann

$$S = -k \sum_{r,s} (p_r^s \log p_r^s) \qquad \text{(III.24)}$$

El tercer apartado del trabajo aparece dedicado a la deducción de la distribución correspondiente al estado de equilibrio termodinámico, caracterizado (sin otra explicación adicional) por representar un máximo de la entropía (III.24), con las restricciones impuestas por (III.22) y por

$$\begin{aligned} n &= \sum_{r,s} r \, p_r^s \\ \overline{E} &= \sum_{r,s} E^s \, p_r^s \end{aligned} \qquad \text{(III.25)}$$

donde n y $\overline{E}$ representan valores dados y E^s indica el valor de la energía de una molécula que ocupa una celda de la subdivisión s del espacio fásico. De esta forma el problema se plantea claramente dentro de la colectividad microcanónica, la favorecida en el esquema einsteiniano, en la cual la temperatura absoluta del sistema se calcula a partir de la entropía asociada a la distribución de equilibrio, siempre en función de n, V y $\overline{E}$.

El cálculo variacional permite la determinación de las p_r^s, y con éstas sustituidas en (III.24), Einstein obtuvo para la entropía la relación

$$S = -k \left\{ \sum_s [\log (1 - e^{-\alpha s})] - An - \frac{B}{c} \overline{E} \right\} \qquad \text{(III.26)}$$

donde las magnitudes A, B, c y α^s se deducen a partir de los datos (n, V, $\bar{E}$) mediante las expresiones

$$\left.\begin{aligned} c &= \frac{h^2}{2m}\left(\frac{4\pi V}{3}\right)^{-2/3} \\ \alpha^s &= A+B\,s^{2/3} \\ n &= \sum_s \frac{1}{e^{\alpha^s}-1} \\ \bar{E} &= c\sum_s \frac{s^{2/3}}{e^{\alpha^s}-1} \end{aligned}\right\} \qquad \text{(III.27)}$$

También la temperatura se podrá expresar en función de los datos con sólo seguir el método usual del formalismo microcanónico:

$$\frac{1}{T} = \left(\frac{\partial S}{\partial \bar{E}}\right)_{nV} = k\,\frac{B}{c} \qquad \text{(III.28)}$$

Este tercer apartado, dedicado al estudio del equilibrio, termina con la expresión de la energía libre del sistema

$$F = \bar{E} - TS = kT\left\{\sum_s [\log(1 - e^{-\alpha^s})] - An\right\} \qquad \text{(III.29)}$$

de la que se deduce la presión del gas cuántico:

$$p = -\left(\frac{\partial F}{\partial V}\right)_{nT} = \frac{2}{3}\frac{\bar{E}}{V} \qquad \text{(III.30)}$$

expresión que, nos recuerda Einstein, «coincide con la de la teoría clásica donde se deduce a partir del teorema del virial».[31]

Nos parece conveniente señalar que, hasta este punto, el tratamiento de Einstein se ajustaba esencialmente al introducido poco antes por Bose. Las dos únicas y pequeñas diferencias provenían del hecho de considerar un sistema complejo (el gas ideal material) cuyos componentes elementales tienen ahora masa distinta de cero y el número n de los mismos se supone una cantidad fija y dada. Esto último implica que en el cálculo variacional aparezca un multiplicador más, asociado con la nueva ligadura que supone la conservación del número de partículas. Un estudio más detallado del trabajo de Einstein permite comprobar fácilmente que el nuevo multiplicador está directamente relacionado con la constante A que aparece en (III.26).

Es en el cuarto apartado donde comienzan a aparecer originalidades claras en relación con el trabajo de Bose. Allí Einstein puso de manifiesto que la teoría clásica del gas ideal puede concebirse como el caso límite de la teoría cuántica expuesta cuando se verifique

$$e^{\alpha^s} \gg 1 \qquad \text{(III.31)}$$

A continuación se preocupó por las condiciones físicas que garantizan la validez de esta desigualdad, llegando a la conclusión de que (III.31) se verifica en la medida en que se cumple

$$\pi^{3/2}\, h^{-3}\, \frac{V}{n}\, (2mkT)^{3/2} \gg 1 \qquad \text{(III.32)}$$

Einstein evaluó el primer miembro de la desigualdad anterior en el caso del hidrógeno a la presión atmosférica, obteniendo el vapor aproximado de $6 \cdot 10^4$, «que es muy grande comparado con la unidad. Por ello la teoría clásica proporciona en este caso una aproximación bastante buena».[32]

La aproximación representada por el tratamiento clásico está tanto menos justificada cuanto mayor sea la densidad de partículas y menor la temperatura absoluta. Esta situación de falta de validez de la aproximación clásica, razonó Einstein, se da, por ejemplo, en el helio en las proximidades del estado crítico, por lo que no cabe esperar un comportamiento del tipo de gas ideal clásico para el helio en tales condiciones.

En el supuesto representado por la desigualdad (III.32), un pequeño cálculo permite escribir la expresión (III.26) para la entropía en la forma

$$S = \nu R \log \left[e^{5/2} \frac{V}{h^3 n} (2\pi mkT)^{3/2}\right] \qquad \text{(III.33)}$$

donde ν representa el número de moles y R la constante universal que aparece en la ecuación de estado de los gases ideales. Esta expresión (III.33) para la entropía del gas ideal había sido obtenida con anterioridad por otros investigadores. Entre ellos O. Sackur (1911), H. Tetrode (1912), W. H. Keesom (1914), W. Lenz y A. Sommerfeld (1914), P. Scherrer (1916) y M. Planck (1916), quienes, en general, utilizaron métodos y razonamientos de la incipiente teoría cuántica y los aplicaron a gases monoatómicos.[33] Por ello, no ha de extrañar que Einstein se refiera a (III.33) como a «un resultado bien conocido de la estadística cuántica».[34] Recordemos que al resultado expresado por (III.33) se puede llegar como lo hizo Gibbs: introduciendo en el formalismo clásico de la teoría de colectividades un factor de reducción (N!) propuesto como solución *ad hoc* para evitar la falta de aditividad de la entropía según el tratamiento clásico. La situación se suele plantear en términos de la llamada «paradoja de Gibbs», cuyo enunciado y solución lleva incorporados hoy cualquiera de los textos usuales de mecánica estadística.[35]

En la época que estamos considerando, la validez del teorema de Nernst en su enunciado *fuerte* (anulación de la entropía en el cero absoluto de temperaturas) estaba fuera de toda duda, por lo que su deducción teórica podía tomarse como un test crucial.[36] Al fino instinto de Einstein no se le escapó la oportunidad, a pesar de la imposibilidad de utilizar en su razonamiento la expresión (III.33), que había sido deducida sobre la base de la aproximación de *altas temperaturas* expresada por la desigualdad (III.32). Nada más explícito al respecto que el párrafo que cierra el penúltimo apartado de su trabajo de 1924:

> «Sobre la base de la teoría aquí expuesta, el teorema de Nernst se cumple para los gases ideales. Ciertamente nuestra fórmula [(III.33)] no puede aplicarse inmediatamente a temperaturas extremadamente bajas,

ya que en su deducción hemos supuesto que las p_r^s varían infinitamente poco si s cambia en 1 [o, equivalentemente, se ha supuesto (III.32)]. No obstante, se comprende inmediatamente que la entropía debe anularse en el cero absoluto. La razón estriba en que entonces todas las moléculas han de estar en la primera celda; para este estado, de acuerdo con nuestra forma de contar, sólo existe una distribución de las moléculas. De ello se desprende inmediatamente la validez de nuestra afirmación [el teorema de Nernst]».[34]

Fue en el apartado final del trabajo en el que Einstein comparó las nuevas expresiones con las obtenidas mediante el formalismo clásico. A tal fin introdujo el parámetro

$$\lambda \equiv e^{-A} \tag{III.34}$$

que, bajo las condiciones de validez del tratamiento clásico, resulta ser, precisamente, el inverso del primer miembro de la desigualdad (III.32). Ello implica que la aproximación clásica estará justificada en la medida en que λ resulte mucho menor que la unidad, por lo que parece razonable presentar los resultados anteriores en forma de desarrollos en series de potencias naturales del parámetro λ: los términos sucesivos al primero irán proporcionando correcciones adicionales a los resultados clásicos. Las expresiones concretas obtenidas fueron las siguientes:

$$\left.\begin{aligned} n &= \frac{3}{4}\sqrt{\pi}\left(\frac{kT}{c}\right)^{3/2} \sum_{\tau=1}^{\infty} \tau^{-3/2}\,\lambda^{\tau} \\ \bar{E} &= c\,\frac{9}{8}\sqrt{\pi}\left(\frac{kT}{c}\right)^{5/2} \sum_{\tau=1}^{\infty} \tau^{-5/2}\,\lambda^{\tau} \\ \frac{\bar{E}}{n} &= \frac{3}{2}\,kT\,\frac{\sum_{\tau=1}^{\infty} \tau^{-5/2}\,\lambda^{\tau}}{\sum_{\tau=1}^{\infty} \tau^{-3/2}\,\lambda^{\tau}} \end{aligned}\right\} \tag{III.35}$$

Según se desprende de la última expresión, la energía media por molécula presenta un valor siempre inferior al clásico y «precisamente el factor que expresa la reducción es tanto menor cuanto mayor es el parámetro de degeneración λ».[37] Einstein no justificó el empleo del término *degeneración* utilizado para designar una situación tanto más alejada de la clásica cuanto mayor sea el valor de λ. En cualquier caso, si λ^2 es mucho menor que λ, la energía media por molécula puede escribirse en la forma

$$\frac{\overline{E}}{n} = \frac{3}{2} kT \left[1 - 0.1768\, h^3 \frac{n}{V} (2\pi mkT)^{-3/2}\right] \qquad \text{(III.36)}$$

En realidad, Einstein escribió en este trabajo el número 0.0318 en lugar del 0.1768, siendo este último el que se obtiene realmente a partir de (III.35). El error ya figura corregido por el propio Einstein en el último apartado de su trabajo de 1925,[29] aunque sin indicar expresamente que se ha hecho la rectificación.

Análogamente, se puede obtener un desarrollo en serie de potencias de exponente natural en λ para la distribución de estados. Si $n^s = \sum_r r p_r^s$ representa el número medio de moléculas en la celda s, se verifica

$$n^s = \frac{1}{e^{\alpha^s} - 1} \qquad \text{(III.37)}$$

como se comprueba comparando la definición de n^s con las expresiones (III.25) y (III.27) para n. La sustitución de α^s por su valor en función de λ proporciona el resultado final:

$$n^s = \text{cte.}\; e^{-E^s/kT} \left[1 + \lambda\, e^{-E^s/kT} + \ldots\right] \qquad \text{(III.38)}$$

«El corchete representa el efecto cuántico sobre la ley de la distribución de Maxwell. Se observa que las moléculas lentas son más numerosas, frente a las veloces, que lo serían según la ley de Maxwell.»[37]

Este artículo acababa con una consideración de la que Einstein se había de ocupar posteriormente, y nosotros también, en la que puso de manifiesto una situación paradójica cuya solución afirmaba no tener a su alcance por el momento. Una mezcla de dos gases diferentes, el primero con n_1 moléculas de masa m_1, y el segundo con n_2 moléculas de masa m_2, donde m_2 la podemos imaginar tan parecida a m_1 como queramos, puede tratarse también por el método propuesto. En este caso cada clase de molécula tiene sus propias celdas y cada componente se comporta respecto del cálculo como si fuera la única presente. Por todo ello, la entropía de la mezcla debería ser la suma de las entropías de las componentes. El que falle tal aditividad, según la aplicación de las fórmulas obtenidas, fue calificado por el propio Einstein como un cierto absurdo que, como veremos más adelante, se puede resolver sobre la base de la hipotética asociación de un misterioso campo ondulatorio a las moléculas de gas.

Es evidente que, a pesar del problema planteado sobre la mezcla de gases al final del artículo que hemos comentado, el tratamiento ideado por Bose supuso un estímulo para el decaído ánimo de Einstein, quien parecía haberse *olvidado* de la teoría cuántica desde que publicara sus famosos trabajos de 1916-1917. Su renovado entusiasmo se manifiesta claramente en una carta a Ehrenfest, con fecha 2 de diciembre de 1924 (una vez publicado el trabajo al que nos hemos venido refiriendo y un mes antes de presentar oficialmente la segunda parte del mismo)[29]:

> «El tema del gas cuántico se está poniendo sumamente interesante. Cada vez estoy más convencido de que hay mucho de verdad y profundo en el fondo de ello».[38]

4
La pérdida de independencia en la nueva estadística (1925)

La memoria que Einstein presentó en enero de 1925[29] estaba dedicada a completar la presentada medio año antes[28] y a sacar el máximo partido posible de la propuesta analogía entre la radiación entendida como gas de *quanta* y el gas ideal material monoatómico. ¿Qué restaba por completar y qué clase de implicaciones podían obtenerse a partir del trabajo de 1924? La introducción de esta segunda memoria anticipaba los objetivos globales:

> «En un trabajo aparecido recientemente en estas actas (*22,* 1924, pág. 261) [véase nuestra ref. 28] se ha expuesto una teoría del gas ideal degenerado, basada en un método original de S. N. Bose para deducir la fórmula de Planck de la radiación. Lo interesante de esta teoría es que se basa en la hipótesis de una fuerte analogía formal entre la radiación y el gas. Según esta teoría, el gas degenerado difiere del gas de la mecánica estadística como la radiación asociada a la ley de Planck difiere de la correspondiente a la ley de Wien. Si se considera seriamente la demostración que Bose empleó para deducir la fórmula de Planck, no se puede evitar esta teoría del gas ideal; si está justificado concebir la radiación como un gas de *quanta,* la analogía entre el gas de *quanta* y el gas de moléculas debe ser completa. El trabajo al que nos hemos referido al principio será completado a continuación con nuevas consideraciones que, parece, pueden aumen-

tar el interés en este tipo de cuestiones. Por comodidad redactaré el presente trabajo como una continuación del anteriormente citado».[39]

En el primer apartado del nuevo trabajo (el sexto al mantener una numeración correlativa respecto al de 1924, sin duda para subrayar la unidad que ambos constituían en su mente), Einstein puso de manifiesto una implicación de su tratamiento del gas ideal monoatómico sin analogía en el esquema clásico correspondiente: el posible fenómeno que hoy conocemos como *condensación de Bose-Einstein* (acumulación extraordinaria de moléculas de gas por debajo de una cierta temperatura, para n y V dados, en el estado fundamental), situación que cualquier texto moderno describe hoy sin dificultad, con auxilio del formalismo gran-canónico aplicado a un gas material de bosones libres.[40] Este fenómeno no pasó en un principio más allá de ser tomado como una mera curiosidad académica, a pesar de que Einstein se había referido al hidrógeno, al helio y al gas de electrones como candidatos apropiados para detectar en ellos la supuesta *condensación*.[41] Sólo en 1938 F. London propuso interpretar la transición de fase He I – He II, descubierta en 1928 por W. H. Keesom, como un fenómeno del tipo *condensación de Bose-Einstein*. No vamos a detenernos en un estudio de este efecto, dada su intrascendencia en relación con el tema central de nuestro trabajo: la evolución del pensamiento dc Einstein en torno a la teoría cuántica. En su lugar, preferimos remitir al lector interesado a la bibliografía.[42]

En el segundo apartado de este trabajo de 1925, Einstein se ocupó de la posible correlación atribuida a las moléculas del gas ideal en virtud del tratamiento cuántico. Esta propiedad fue objeto de un intenso debate y sus posibles soluciones se relacionan inmediatamente con la paradoja que hemos mencionado acerca de la mezcla de gases de masa molecular parecida. Einstein planteó la cuestión en los siguientes términos:

«Ha sido criticado por el Sr. Ehrenfest y otros colegas que en la teoría de la radiación de Bose, y en la análoga mía para el gas ideal, los *quanta* y las moléculas, respectivamente, no son tratados como entidades estadísticamente independientes entre sí, sin que ello se haya indicado explícitamente en nuestros dos trabajos. Esta crítica es totalmente justa. Si se trata a los *quanta* como estadísticamente independientes los unos de los otros en su localización, se llega a la ley de radiación de Wien; si se tratan de forma análoga las moléculas del gas ideal, se llega a la correspondiente ecuación de estado clásica, aunque en el resto se proceda exactamente como Bose y yo mismo lo hemos hecho. Voy a exponer aquí los dos métodos para el gas, con objeto de que las diferencias aparezcan con claridad, y se puedan comparar fácilmente nuestros resultados con aquellos de la teoría basada en moléculas independientes».[43]

En ambas teorías (la de Bose-Einstein y la basada en la independencia estadística de las moléculas), al dominio de energía ΔE le corresponde un número de celdas z_ν dado por la expresión (III.21), ahora escrita así:

$$z_\nu = 2\pi \frac{V}{h^3} (2m)^{3/2} E^{1/2} \Delta E \qquad \text{(III.39)}$$

Si se supone que el estado del gas queda definido macroscópicamente por el número n_ν de moléculas que se encuentran en cada dominio elemental, para calcular la probabilidad (de Planck) de tal estado es necesario deducir el número de realizaciones microscópicas (complexiones) compatibles con n_ν y z_ν. Según el tratamiento de Bose, el estado microscópico queda definido por el número de moléculas que ocupan cada celda, por lo que el número de complexiones vendrá dado por

$$W_\nu = \frac{(n_\nu + z_\nu - 1)!}{n_\nu!\,(z_\nu - 1)!} \qquad \text{(III.40)}$$

expresión usual para obtener las distintas distribuciones posibles de n_ν entidades sin ningún atributo que las distinga entre sí, en z_ν receptáculos diferentes.

Hasta aquí, la versión que Einstein dio del método ideado por Bose. Pero permítasenos un breve comentario. Es curioso, cuando menos, comprobar que esta forma de evaluación que Einstein atribuyó a Bose, la fórmula (III.40) concretamente, no aparece en el trabajo original de éste,[6] sino en otro ligeramente posterior del físico hindú,[44] donde como toda justificación se remitía a un trabajo de Debye de 1910. S. Bergia ha seguido la pista del uso de dicha evaluación, llegando a la conclusión de que el descubrimiento de la estadística de Bose-Einstein fue «una empresa mucho más colectiva de lo que normalmente se cree», pues el método de esta estadística entronca directamente con el usado por Planck al tratar implícitamente a los *quanta* de energía como trivialmente indistinguibles, por lo que «podría decirse que Planck había inventado formalmente una nueva estadística..., pero sin contrapartida física. Bose aplicó esa invención a un caso en que la contrapartida física existía».[45]

Retomamos el hilo del razonamiento de Einstein, en 1925, a propósito del tratamiento introducido por Bose. El producto de todas las expresiones del tipo (III.40), correspondiente a todos los dominios de energía, proporciona el número total de complexiones compatibles con el estado macroscópico en cuestión, y la entropía de éste, según Boltzmann, vendrá dada por

$$S = k \sum_{\nu} [(n_\nu + z_\nu) \log (n_\nu + z_\nu) - n_\nu \log n_\nu - z_\nu \log z_\nu] \tag{III.41}$$

donde se ha tenido en cuenta el elevado valor que, en condiciones normales, adquieren los números n_ν y z_ν.

> «Es fácil observar que, en esta forma de calcular, la distribución de las moléculas entre las celdas no se ha considerado de manera estadísticamente independiente. Ello es debido al hecho de que los distintos casos, aquí llamados "complexiones", no aparecerían como igualmente probables en la hipótesis de una dis-

tribución independiente de las distintas moléculas entre las celdas. El contaje de estas "complexiones" de diferente probabilidad no proporcionaría el valor correcto de la entropía en el caso de una independencia efectiva de las moléculas. La fórmula [(III.41)] expresa por tanto, indirectamente, cierta hipótesis sobre una influencia recíproca entre las moléculas, influencia de un tipo completamente misterioso por ahora, que implica precisamente la misma probabilidad estadística de lo que aquí hemos venido definiendo como "complexiones"».[46]

Esta fue la forma en que Einstein explicó (¿o intuyó?) la hoy familiar correlación atribuible a integrantes de un agregado de partículas indistinguibles, tratado cuánticamente, aún sin existir interacción dinámica alguna entre las mismas. Esta correlación, adoptando un punto de vista clásico, se puede visualizar mediante el llamado *potencial estadístico* que G. E. Uhlenbeck y L. Gropper introdujeron en 1932.[47] Así, Einstein se adelantó, una vez más, al curso normal de los acontecimientos, reconociendo antes del advenimiento de la mecánica cuántica, aunque de forma un tanto rudimentaria, la regla de superselección que obliga a satisfacer ciertas condiciones de simetría al estado cuántico asociado a un agregado de partículas idénticas.

La existencia de tan misteriosa influencia entre las moléculas supuestamente libres que integran un gas ideal fue puesta de manifiesto por Einstein en virtud de un argumento indirecto: comprobó que si existiera verdadera independencia estadística se obtendrían necesariamente resultados distintos de los expresados por (III.40) y (III.41). En efecto, admitiendo la hipótesis de independencia estadística el razonamiento se haría así. El estado microscópico, o complexión, queda definido mediante la asignación a cada molécula de la celda que ocupa. Entre las z_ν celdas correspondientes al dominio elemental ν-ésimo, n_ν moléculas se pueden distribuir de $(z_\nu)^{n_\nu}$ formas diferentes. Si la repartición de las moléculas entre los dominios se ha hecho de una manera determinada, en total existirán

$$\prod_{\nu} (z_{\nu}^{n_{\nu}})$$

formas diferentes de distribuir las moléculas en las celdas. Para obtener el número total de complexiones bastará con multiplicar el resultado anterior por el factor

$$\frac{n!}{\prod_{\nu} n_{\nu}!}$$

que expresa todas las formas de distribuir las n moléculas de forma que a cada dominio z_{ν} vayan exactamente n_{ν}. Por tanto, el número de complexiones que corresponden al estado macroscópico definido por n_{ν} y z_{ν} (conocidos para todos los valores de ν) vendría dado por

$$\prod_{\nu} (z_{\nu}^{n_{\nu}}) \cdot \frac{n!}{\prod_{\nu} n_{\nu}!}$$

La expresión para la entropía vendrá ahora dada por

$$S = k \left[n \log n + \sum_{\nu} (n_{\nu} \log z_{\nu} - n_{\nu} \log n_{\nu})\right] \qquad \text{(III.42)}$$

en contraposición a la (III.41) obtenida a través del tratamiento de Bose-Einstein.

El primer sumando de esta última expresión no depende del estado macroscópico considerado (es decir, del reparto concreto de las moléculas entre los dominios), por lo que en «la comparación de entropías de diferentes estados macroscópicos del mismo gas, este término juega el papel de una constante sin importancia, que puede ser omitida. Debemos omitirla si, como es usual en termodinámica, queremos obtener una entropía que, para un estado interno dado del gas, resulte proporcional al número de moléculas».[48] Por tanto, se debe reescribir (III.42) en la forma

$$S = k \sum_{\nu} n_{\nu} (\log z_{\nu} - \log n_{\nu}) \qquad \text{(III.43)}$$

El estado de equilibrio se caracteriza por corresponder a un máximo de entropía. Por tanto la distribución asociada (la expresión de n_ν) se podrá obtener calculando el máximo de (III.41) y (III.43), respectivamente, teniendo en cuenta las condiciones auxiliares

$$\begin{aligned} \bar{E} &= \sum_\nu E_\nu n_\nu = \text{cte.} \\ n &= \sum_\nu n_\nu = \text{cte.} \end{aligned} \tag{III.44}$$

Los resultados obtenidos fueron:

$$n_\nu = \frac{z_\nu}{e^{\alpha+\beta E_\nu} - 1} \tag{III.45}$$

para el caso Bose-Einstein, es decir, maximizando (III.41); y

$$n_\nu = z_\nu e^{-\alpha-\beta E_\nu} \tag{III.46}$$

suponiendo independencia estadística, o lo que es lo mismo, maximizando (III.43). En ambos casos se puede llegar a la identificación $\beta = 1/kT$ sin ninguna dificultad.

Einstein propuso un sencillo test para comprobar la validez de las dos expresiones (III.41) y (III.43) obtenidas para la entropía del gas ideal: su posible compatibilidad con el teorema de Nernst. En el cero absoluto, escribió Einstein, «todas las moléculas se encontrarán en el primer estado cuántico»,[49] por lo que se han de sustituir los siguientes valores:

$$\begin{aligned} n_\nu &= 0, \text{ para } \nu \neq 1 \\ n_1 &= n \\ z_1 &= 1 \end{aligned} \tag{III.47}$$

De (III.41) y (III.47) se deduce que, para $T = 0$, la entropía calculada a través del tratamiento de Bose-Einstein es nula (sólo hay una complexión), mientras que en el caso de la independencia estadística se obtiene, a través de (III.43) y (III.47), el resultado

$$S = -k\,n \log n \tag{III.48}$$

Obviamente, si en lugar de partir de (III.43) se parte de (III.42), el resultado final para la entropía no es (III.48) sino cero. Así pues, el método de evaluación que parte de la independencia estadística de las moléculas (es decir, el método clásico) conduce a una violación del principio de Nernst [si se verifica (III.48)] o a una falta de aditividad de la entropía [si se parte de (III.42)]. Por el contrario, el tratamiento de Bose-Einstein está exento de dificultades: garantiza la aditividad de la entropía y la validez del teorema de Nernst. El párrafo final de Einstein al respecto aclara totalmente su posición:

> «Por estas razones, creo que debe preferirse el método de evaluación de Bose, aún admitiendo que no se puede demostrar su superioridad *a priori*. Este resultado sirve para reforzar la idea de una profunda analogía entre la radiación y el gas, en la medida en que las mismas consideraciones estadísticas que llevan a la fórmula de Planck, conducen a un acuerdo de la teoría del gas con el teorema de Nernst cuando se aplican al gas ideal».[50]

Si nuestro interés no fuera más allá de mostrar cómo surgieron las ideas fundamentales de la posteriormente conocida como estadística de Bose-Einstein, éste podría ser un buen final de capítulo y de libro, pues hemos analizado, como pretendíamos, la evolución del pensamiento einsteiniano acerca del *quantum* de radiación sobre la base de un enfoque mecánico-estadístico de las situaciones consideradas entre 1902 y 1925. No obstante, no nos resistimos a llegar un poco más lejos, pues algunos puntos aparentemente intrascendentes de sus trabajos de 1924-1925 jugaron un papel importante, aunque no suficientemente divulgado, respecto a la aparición inmediata de la mecánica ondulatoria.

5
De Einstein a Schrödinger, pasando por De Broglie

Conviene prestar atención especial al octavo apartado del trabajo de 1925 que venimos comentando. En él, una vez más en su largo peregrinar a través de la teoría cuántica, Einstein volvió a recurrir al tema de las fluctuaciones como test de sus hipótesis y como fuente de consecuencias importantes. En su planteamiento consideró un gas de volumen V que se comunica con otro de la misma naturaleza pero de volumen infinito, estando ambos separados por una pared que solamente permite el paso de moléculas con energía comprendida entre E y E+ΔE, reflejando las que poseen energía cinética fuera de este rango. En la analogía de la radiación, la pared sería transparente para las frecuencias comprendidas entre ν y $\nu+d\nu$ y opaca para el resto. Si n_ν es el valor medio del número de moléculas con energía dentro del dominio considerado, la fluctuación de este número Δ_ν fue calculada por Einstein obteniendo que, en el equilibrio, se verifica la relación

$$\overline{\left(\frac{\Delta_\nu}{n_\nu}\right)^2} = \frac{1}{n_\nu} + \frac{1}{z_\nu} \qquad \text{(III.49)}$$

siendo z_ν, como antes, el número de celdas correspondientes al dominio considerado [véase (III.39)]. Esta última expresión sirvió a Einstein para efectuar la siguiente consideración, cuya trascendencia, como veremos, fue inmediatamente detectada por Schrödinger:

«La fluctuación relativa cuadrática media de las moléculas de la especie considerada se compone de dos términos aditivos. El primero sería el único presente si las moléculas fueran independientes las unas de las otras. A él se añade, en la fluctuación cuadrática media, otra parte que es totalmente independiente del valor medio de la densidad y que está determinada exclusivamente por el intervalo elemental ΔE y por el volumen. En el caso de la radiación corresponde a las fluctuaciones de interferencias. Se puede interpretar de forma análoga en el caso del gas, asociando al mismo, de forma conveniente, un fenómeno radiativo según el cual puedan ser calculadas las fluctuaciones de interferencias. Deseo precisar esta interpretación porque creo que se trata de algo más que de una simple analogía.

»En un trabajo muy importante, L. de Broglie [se cita su tesis (véase ref. 51)] ha expuesto cómo es posible asociar un campo de ondas (escalar) a una partícula material o a un sistema de partículas materiales...

»Así se ve que a un gas se le puede asociar un campo de ondas escalar y mediante un cálculo me he convencido de que $1/z_\nu$ es el valor de la fluctuación cuadrática media de ese campo...».[52]

Las consideraciones anteriores, basadas en parte en las ideas de De Broglie a las que Einstein tuvo acceso inmediato a través de Langevin,[53] significaban un gran paso adelante respecto de la analogía entre gas y radiación, ampliamente explotada entre 1905 y 1925. La mera analogía apuntaba ahora hacia su reemplazo por una nueva imagen: la asociación, por entonces casi totalmente misteriosa, entre partículas materiales y campos escalares de ondas; las posibles interferencias entre éstos originaban la pérdida de independencia de las moléculas supuestamente libres, proporcionando la explicación de la paradoja con la que finalizaba el trabajo de 1924. Según Einstein:

«Estas consideraciones [las referentes a la asociación de un campo escalar de ondas a cada partícula material] aclaran la paradoja incluida al final de mi primera memoria [véase ref. 28]. Para que dos trenes de ondas puedan interferir de manera notable, deben coincidir prácticamente en lo que se refiere a V [velocidad de fase] y *v*. Para ello es necesario... que v [velocidad de la partícula] y m sean casi las mismas para los dos gases. Los campos de ondas correspondientes a dos gases de masas moleculares sensiblemente diferentes no pueden, por tanto, interferir entre sí de forma notable. De ello se puede deducir que, según la teoría expuesta, la entropía de una mezcla de gases se compone, a partir de las entropías de los constituyentes de la mezcla, de una forma exactamente tan aditiva como en la teoría clásica, al menos en tanto que los pesos moleculares de las componentes difieran entre sí en cierta medida».[54]

Esta teoría cuántica de la materia, insinuada por Einstein en 1925, tuvo escaso eco debido, entre otras razones, al carácter misterioso de los movimientos ondulatorios asociados a las partículas materiales; y eso aun teniendo en cuenta la sugerencia que, en el mismo trabajo, incluyó su autor sobre la posible detección de estos campos a través de efectos ligados a posibles fenómenos de difracción asociados a haces de partículas:

«De las consideraciones anteriores parece que, con cada movimiento, hay un campo ondulatorio asociado, de la misma forma que el campo ondulatorio óptico se asocia al movimiento de los *quanta* de luz. Este campo ondulatorio, cuya naturaleza física es por el momento oscura, debe en principio poder detectarse a través de los efectos de los movimientos correspondientes. Así, un haz de moléculas de gas que atraviesa una abertura deberá sufrir una difracción, análoga a la que experimenta un rayo luminoso. Para que un fenómeno de este tipo sea observable, la longitud de onda λ [$\lambda = h/mv$ para el caso no relativista] debe ser en cierta forma comparable con las dimensiones de la abertura».[55]

No se le ocultó a Einstein la dificultad real de llevar a cabo experiencias interesantes en este terreno: las longitudes de onda asociadas a moléculas en movimiento a temperaturas ordinarias son tan pequeñas (del orden de las dimensiones moleculares) que las difracciones mediante aberturas resultan imposibles de lograr. Sí, en cambio, cabría pensar en difracciones mediante colisiones de moléculas en movimiento con otras en reposo. Ello supondría una reducción del camino libre medio recorrido por las moléculas de gas lo que, a su vez, implicaría una variación de la viscosidad con la temperatura, efecto tanto más apreciable cuanto más ligero fuera el gas (hidrógeno o helio) y más baja la temperatura.

También mencionó Einstein la posibilidad de detectar efectos previstos por su teoría en la aplicación al gas de electrones libres de un metal. Puesto que la temperatura de degeneración (temperatura crítica en notación actual), por debajo de la cual se podrían observar efectos ligados a la aparición de la fase condensada, resulta excesivamente baja para todos los gases ordinarios ¿por qué no aplicar los métodos de la nueva teoría a los electrones responsables de la conducción metálica? Una consecuencia inmediata del tratamiento fue la *explicación,* sobre la base de la nueva estadística, de la ausencia de contribución electrónica al calor específico de los metales, una vieja dificultad pendiente de resolver dentro de la teoría electrónica de los metales: un sencillo cálculo permitió demostrar que, a temperaturas ambientales, prácticamente todos los electrones de conducción se encuentran en la fase condensada, de energía nula y, por ello, no contribuyen en medida alguna al calor específico del metal. Aunque a título especulativo, Einstein apuntó la posibilidad de resolver el misterio de la superconductividad mediante consideraciones de este tipo.[56] Por supuesto, hoy sabemos que la explicación de este último fenómeno pasa por la consideración de pares de electrones (bosones), y no de electrones individuales (fermiones). Hay que recordar, no obstante, que si bien el principio de exclusión de Pauli apareció publicado en marzo de 1925,[57] el tratamiento estadístico de los sistemas que obedecían dicho principio no fue publicado por Fermi hasta mayo de 1926.[58]

Walter Elsasser fue el primero (a mediados de 1925) en considerar algunas posibles implicaciones de naturaleza experimental de las hipótesis de De Broglie y Einstein sobre el campo ondulatorio asociable a toda partícula material, en una breve nota donde proponía explicar sobre la base de aquellas hipótesis ciertas anomalías observadas en la distribución angular de electrones difundidos por láminas metálicas.[59] Pero el verdadero impulso en la línea apuntada por De Broglie y Einstein llegó de la mano de Erwin Schrödinger, quien entre 1921 y 1926 publicó alrededor de una decena de trabajos en los dos campos quizá más adecuados para apreciar las aportaciones de aquéllos: mecánica estadística y teoría cuántica. No entra dentro de nuestros objetivos analizar la evolución que llevó a Schrödinger a la creación de la mecánica ondulatoria en los primeros meses de 1926. Remitimos al lector interesado a la bibliografía.[60] No obstante, por razones de completitud, hemos de mencionar un trabajo, escasamente difundido, pero que constituye el puente que enlaza las ideas de Einstein y de De Broglie con la nueva mecánica ondulatoria.[61] Fue enviado a publicar por Schrödinger en diciembre de 1925, aunque apareció tres meses más tarde, y precedió tan sólo en unas semanas a su famosa trilogía fundacional: «La cuantización como un problema de valores propios».[62] La idea central del trabajo se deduce directamente del contenido del primer apartado en el que, bajo el título de «Reflexiones fundamentales», Schrödinger afirmaba:

> «El punto esencial de la nueva teoría del gas elaborada recientemente por A. Einstein, consiste en que hay que aplicar una estadística completamente nueva

al movimiento de las moléculas de gas, la llamada estadística de Bose. No cabría considerar a esta nueva estadística como algo primario, que no exigiera otra explicación. Además, parece que en ella se oculta la hipótesis de cierta dependencia o interacción entre las moléculas del gas, que resulta difícil de analizar en esta forma.

»Puede esperarse una visión más profunda de la verdadera esencia de la nueva teoría, si se logra preservar la validez de los viejos métodos estadísticos, confirmados por la experiencia y lógicamente bien fundados, y acometer el cambio de los fundamentos allí donde sea posible hacerlo sin *sacrificium intellectus.* Esta idea simple conduce a ello: la teoría del gas de Einstein se obtiene aplicando a las moléculas del gas la estadística que, aplicada a los "átomos de luz" conduce a la ley de Planck para la radiación. Pero también se puede llegar a la ley de Planck por medio de la estadística "natural" aplicándola a los llamados "resonadores del éter", es decir, a los grados de libertad de la radiación. Los átomos de luz aparecen ahora sólo como los niveles de energía de aquellos resonadores. El paso de la estadística natural a la de Bose puede ser reemplazado por el intercambio de papeles entre los conceptos "variedad de los estados energéticos" y "variedad de los portadores de estos estados". Lo que procede, simplemente, es construir un modelo para el gas análogo al de la radiación en una cavidad, imagen que aún no se corresponde con la representación límite de los *quanta* de luz; entonces la estadística natural –por ejemplo el método de Planck de la suma de estados, que resulta cómodo– conducirá a la teoría del gas de Einstein. Esto implica, de hecho, tomar en serio la teoría ondulatoria de De Broglie y Einstein sobre las partículas en movimiento, según la cual las partículas no son más que una especie de "cresta de espuma" sobre un sustrato de ondas».[63]

La sugerencia de Schrödinger apuntaba en una dirección totalmente original. Puesto que la ley de radiación de Planck se puede obtener mediante una estadística convencional clásica aplicada a los modos de vibración en la cavidad considerada o mediante una nueva estadística (la de Bose, no muy bien entendida en sus fundamentos y con implicaciones un tanto misteriosas), aplicada a los *quanta* considerados como la estructura última de la radiación ¿por qué no deshacer el camino que lleva a la necesidad de la nueva estadística para el gas material? Si la analogía con la radiación se adopta como premisa, el procedimiento que Schrödinger sugería pasaba por un cambio de imagen. En lugar de adoptar la descripción usual según la cual cada molécula puede tener energías dentro de un espectro ε_1, ε_2, ..., ε_s, ... y en cada estado energético puede existir cualquier número de moléculas, ahora habría que referirse a los diferentes modos de vibración asociados a un gas; la energía del modo s-ésimo viene dada por $n_s\varepsilon_s$ cuando n_s moléculas se encuentran en el estado de energía ε_s. Cada modo se puede entender como el grado de libertad asociado al movimiento de un oscilador armónico unidimensional. En definitiva, el modo s-ésimo puede tener las energías 0, ε_s, $2\varepsilon_s$, ..., $n_s\varepsilon_s$, ... según que esté *ocupado* por 0, 1, 2, ..., n_s, ... moléculas del gas.

La mecánica estadística clásica, mediante el formalismo correspondiente a la colectividad canónica (se supone que n moléculas de gas ocupan un volumen V y se encuentran en equilibrio térmico a la temperatura T), permite resolver el problema planteado a través de la función de partición que viene dada por una suma de todos los términos del tipo

$$e^{-(n_1\varepsilon_1 + n_2\varepsilon_2 + ... + n_s\varepsilon_s + ...)/kT}$$

sometidos los n_s a la restricción

$$\sum_s n_s = n \qquad \text{(III.50)}$$

Una vez conocido el espectro $\{\varepsilon_s\}$, el cálculo de la función de partición no ofrecía dificultades especiales. Schrödinger utilizó a dicho efecto, y sin mayores problemas, el método introducido unos cuatro años antes por C. G. Darwin y R. H. Fowler, a los que se refirió explícitamente.[64] La única cuestión pendiente era la determinación del espectro de energías. Aquí estuvo, precisamente, el punto de conexión entre las ideas precedentes de De Broglie y de Einstein con las propias de Schrödinger: éste calculó los niveles de energía de las moléculas acudiendo a la idea de L. de Broglie, según la cual una molécula de masa en reposo m, y en movimiento con velocidad v, podía entenderse como la «cresta» de un sistema de ondas de frecuencia

$$\nu = \frac{mc^2}{h\sqrt{1-\left(\frac{v}{c}\right)^2}} \tag{III.51}$$

y velocidad de fase

$$u = \frac{c^2}{v} \tag{III.52}$$

(c representa la velocidad de la luz en el vacío).

El espectro buscado, en el tratamiento de Schrödinger, no era otra cosa que el espectro de frecuencias que se obtiene a través de la cuantización del sistema de ondas estacionarias en el volumen V dado.

A partir del espectro energético, Schrödinger calculó distribuciones de estados, valores medios y fluctuaciones, recuperando los resultados que Einstein había obtenido para el gas ideal cuántico dividiendo el espacio de las fases en celdas de dimensión h^3, es decir, con la nueva estadística de Bose. Tras justificar que el efecto de *condensación,* previsto por la teoría de Einstein, no encajaba en el nuevo tratamiento (al estado de reposo le correspondería una velocidad de fase infinita, lo que carece de sentido físico), Schrödinger dedicó los últimos párrafos de su trabajo a la «posibilidad de representar las moléculas o los *quanta* de luz mediante las interferencias de ondas planas»,[65] comentando brevemente la posible utilización de paquetes de ondas (localizados en el espacio y en el tiempo), como *señales* que, a su vez, representarían el aspecto corpuscular de la teoría ondulatoria introducida por De Broglie. Pero existía una dificultad que, por el momento, impedía adoptar los paquetes de ondas como modelos para partículas: la comprobación de que tales paquetes, que mezclan un gran número de longitudes de onda, no permanecían reagrupados en el tiempo. En tanto que el problema de la dispersión de los paquetes no se resolviera, o se reenfocara, la imagen corpuscular de la teoría ondulatoria quedaba como asignatura pendiente.

No entra en los objetivos de este libro el análisis y seguimiento de la obra de Schrödinger. Recomendamos a los interesados acudir directamente a la lectura de sus trabajos sobre la fundamentación de la mecánica ondulatoria.[62] Pero hemos querido resaltar el papel que Einstein representó en la nueva construcción. Su influencia no es una interpretación libre nuestra basada en la posible simpatía por el personaje, sino que fue tan reconocida por el propio Schrödinger desde un principio, como ignorada por las narraciones históricas sobre el tema. En el primer trabajo de la trilogía, tras obtener la nueva solución del problema relativo al átomo de hidrógeno, reconocía textualmente:

> «He demostrado recientemente que la teoría [cuántica] de Einstein sobre un gas [ideal] puede fundamentarse sobre la consideración de vibraciones propias estacionarias, que se supone cumplen la ley de dispersión de De Broglie [la relación (III.52)]. Las consideraciones que hemos expuesto referentes al átomo podrían haberse presentado como una generalización de este trabajo sobre el modelo para el gas».[66]

Y, por si quedaran dudas al respecto, una carta de Schrödinger a Einstein, de abril de 1926, aclara hasta qué punto el primero reconocía su deuda intelectual:

> «Por supuesto, todo ello [el desarrollo de la teoría de Schrödinger] no habría comenzado aún, o en cual-

quier otro tiempo (quiero decir, en lo que a mí se refiere), de no haber sido porque su segundo trabajo sobre el gas degenerado [ref. 29] dirigió mi atención hacia la importancia de las ideas de De Broglie».[67]

Este fue el momento (principios del año 1925, unos meses antes de comenzar a aparecer la avalancha de resultados que constituyeron el núcleo de la mecánica cuántica en la formulación matricial y en la ondulatoria) *elegido* por Einstein para desligar su nombre de toda aportación constructiva a la teoría cuántica hoy vigente, cada vez más escéptico ante el desarrollo de los acontecimientos en general y, en particular, ante la eliminación progresiva en la joven teoría de todo vestigio de causalidad, entendida al modo clásico. También es éste el momento elegido por nosotros para cerrar este análisis de la evolución del pensamiento de Einstein en torno a la teoría cuántica, pues a partir de entonces, como es bien sabido, sus aportaciones se ciñeron al campo de la crítica, dirigida ésta hacia la versión oficial de la nueva disciplina: la llamada «interpretación de Copenhague».[68] Su marginación científica llegó a ser una marginación social, a pesar del interés que no pocos tenían en mantener a Einstein en la cresta de la ola del desarrollo de la teoría cuántica. Prueba de ello podría ser la invitación que Lorentz, como presidente del Quinto Congreso Solvay (1927), le cursó para participar en el mismo como ponente sobre el estado de las estadísticas cuánticas. La contestación de Einstein, en junio de 1927, contiene suficiente número de elementos como para detectar el profundo desaliento que ya comenzaba a embargarle:

> «Recuerdo haberme comprometido con usted a hacer un informe sobre estadística cuántica en el Congreso Solvay. Después de mucha reflexión en torno al sí y al no, llegué al convencimiento de que no soy competente para hacer tal informe de una forma que realmente corresponda al estado de cosas [actual]. La razón está en que no he podido participar en el desarrollo moderno de la teoría cuántica tan intensamente

> como hubiera sido necesario para este propósito. Esto se debe, en parte, a que tengo muy escaso talento receptivo para seguir por completo los desarrollos tormentosos y, en parte también, porque no apruebo la forma de pensar puramente estadística sobre la que están basadas las nuevas teorías... Hasta ahora continué confiando en poder contribuir con algo de valor en Bruselas [la sede del Congreso]; he abandonado esa esperanza. Le ruego no se disguste conmigo por ello; no lo tomé a la ligera, sino que probé con todas mis fuerzas... Quizás el señor Fermi de Bolonia... o Langevin... podrían hacerlo bien».[69]

En este Congreso Solvay, la nueva teoría fue dada a conocer por personajes tan ilustres como De Broglie, Born, Heisenberg, Schrödinger y Bohr, entre otros. Esta reunión vio surgir los primeros debates entre Bohr y Einstein, principalmente, en torno a los conceptos de causalidad, determinismo y probabilidad. Las antiguas profecías de Einstein en torno a la previsible confluencia en una teoría general de los aspectos corpuscular y ondulatorio se veían realizadas en la nueva doctrina. Pero, a su vez, ésta incorporaba definitivamente el dogma del indeterminismo esencial que había de regir el comportamiento de los sistemas físicos elementales. Ante tal situación, y como es bien notorio, Einstein optó por la herejía...

Referencias y notas del Capítulo III

1. KLEIN, M. J.: «Einstein and the Wave-Particle Duality», *The Natural Philosopher 3,* 1964, pág. 46.
2. COMPTON, A. H.: «A Quantum Theory of the Scattering of X-Rays by Light Elements», *The Physical Review 21,* 1923, págs. 483-502.
3. STUEWER, R. H.: *The Compton Effect,* Science History Publications, Nueva York, 1975.
4. BOTHE, W. y GEIGER, H.: «Experimentelles zur Theorie von Bohr, Kramers und Slater», *Naturwissenschaften 13,* 1925, págs. 440-441.
5. BOTHE, W. y GEIGER, H.: «Über das Wesen des Comptoneffekts; ein experimenteller Beitrag zur Theorie der Strahlung», *Zeitschrift für Physik 32,* 1925, pág. 662.
6. BOSE, S. N.: «Plancks Gesetz und Lichtquantenhypothese», *Zeitschrift für Physik 26,* 1924, págs. 178-181. Hay versión inglesa de O. Theimer y B. Ram en «The Beginning of Quantum Statistics», *American Journal of Physics 44,* 1976, págs. 1.056-1.057.
7. BLANPIED, W. A.: «Satyendranath Bose: Co-Founder of Quantum Statistics», *American Journal of Physics 40,* 1972, págs. 1.212-1.220. Se trata de un breve artículo sobre la trayectoria académica y científica de Bose, del cual hemos tomado las principales referencias biográficas.
8. *Ibid.,* pág. 1.214.
9. *Ibid.,* pág. 1.215.
10. BOSE, S. N.: Carta a A. Einstein, 4 de junio de 1924, citada por J. Mehra y H. Rechenberg en *The Historical Development of Quantum Theory,* vol. 2, Springer Verlag, Nueva York, 1982, pág. 565. Parcialmente citada en W. A. Blanpied: *íbid.,* 1972, véase ref. 7, pág. 1.212.
11. EINSTEIN, A.: Nota del traductor de S. N. Bose, *íbid.,* 1924, véase ref. 6, pág. 1.056 de la versión inglesa.
12. BOSE, S. N.: «Wärmegleichgewicht im Strahlungsfeld bei Anwesenheit von Materie», *Zeitschrift für Physik 27,* 1924, págs. 384-393. Hay versión inglesa de O. Theimer y B. Ram en «Bose's Second Paper: A Conflict with Einstein», *American Journal of Physics 45,* 1977, págs. 242-246.
13. EINSTEIN, A.: Nota del traductor de S. N. Bose, *íbid.,* 1924, véase ref. 12, pág. 245 de la versión inglesa.
14. MEHRA, J. y RECHENBERG, H.: *Ibid.,* 1982, véase ref. 10, pág. 571.
15. BOSE, S. N.: Conversación con J. Mehra, citada por J. Mehra y H. Rechenberg, *íbid.,* 1982, veáse ref. 10, pág. 571.
16. BOSE, S. N.: *Ibid.,* 1924, veáse ref. 6, págs. 1.056 y 1.057 de la versión inglesa.
17. MEHRA, J. y RECHENBERG, H.: *Ibid.,* 1982, véase ref. 10, pág. 567, nota 867 de pie de página.
18. PAIS, A.: *«Subtle is the Lord...» The Science and the Life of Albert Einstein,* Oxford

University Press, Londres, 1982. Hay versión castellana de F. Alsina: *«El Señor es Sutil...» La Ciencia y la Vida de Albert Einstein,* Ariel, Methodos, Barcelona, 1984, pág. 428 de la versión castellana.
19. BOSE, S. N.: *Ibid.,* 1924, véase ref. 6, pág. 1.057 de la versión inglesa.
20. HUANG, K.: *Statistical Mechanics,* J. Wiley, Nueva York, 1987, págs. 278-281.
21. SEARS, F. W.: *An Introduction to Thermodynamics, the Kinetic Theory of Gases, and Statistical Mechanics,* Addison-Wesley, Cambridge, Massachusetts, 1953, cap. 16.
22. GIBBS, J. W.: *Elementary Principles in Statistical Mechanics,* Yale University Press, 1902. Reimpreso por Ox Bow Press, Woodbridge, Connecticut, EEUU, 1981, pág. 189 de la reimpresión.
23. MEHRA, J.: «Satyendra Nath Bose», *Biographical Memoirs of Fellows of the Royal Society 21,* 1975, págs. 117-154. Citado por A. Pais, *ibid.,* 1982, véase ref. 18, pág. 426 de la versión castellana.
24. NAVARRO, L. y PARRA, J. M.: «Relevancia del Problema E. P. R. en la Fundamentación de la Mecánica Cuántica», en *Libro Homenaje a la Memoria del Profesor Ricardo Marqués Fernández,* Universidad de Barcelona, Barcelona, 1981, págs. 343-358.
25. PAIS, A.: *Ibid.,* 1982, véase ref. 18, pág. 431 de la versión castellana.
26. PATHRIA, R. K.: *Statistical Mechanics,* Pergamon Press, Oxford, 1986, pág. 144.
27. EINSTEIN, A.: «Autobiographical Notes», en *Albert Einstein: Philosopher-Scientist,* P. A. Schilpp (ed.), The Library of Living Philosophers, Cambridge University Press, Londres, 1970. Primera edición en 1949.
28. EINSTEIN, A.: «Quantentheorie des einatomigen idealen Gases», *Sitzungsberichte der Preussischen Akademie der Wissenschaften 22,* 1924, págs. 261-267. Hay versión italiana de P. Bernardini en *La Statistica Quantistica e le Onde di Materia,* Bibliopolis, Nápoles, 1986, págs. 41-50.
29. EINSTEIN, A.: «Quantentheorie des einatomigen idealen Gases. Zweite Abhandlung», *Sitzungsberichte der Preussischen Akademie der Wissenschaften 23,* 1925, págs. 3-14. Se trata de un trabajo continuación del citado en la ref. 28; hasta la numeración de los apartados es correlativa respecto del anterior. Hay versión francesa (excepto el último apartado que sólo incluye una aplicación numérica) en *Annales de la Fondation Louis de Broglie 7,* 1982, págs. 129-145. (No se cita el nombre del traductor.) Hay versión italiana de P. Bernardini, *ibid.,* 1986, véase ref. 28, págs. 55-71.
30. EINSTEIN, A.: *Ibid.,* 1924, véase ref. 28, pág. 41 de la versión italiana.
31. *Ibid.,* pág. 46.
32. *Ibid.,* pág. 47.
33. MEHRA, J. Y RECHENBERG, H.: *Ibid.,* 1982, véase ref. 10, pág. 567.
34. EINSTEIN, A.: *Ibid.,* 1924, véase ref. 28, pág. 47 de la versión italiana.
35. PATHRIA, R. K.: *Ibid.,* 1986, véase ref. 26. Un ejemplo del tratamiento indicado se encuentra entre las páginas 24 y 29.
36. MEHRA, J. Y RECHENBERG, H.: *Ibid.,* 1982, véase ref. 10, pág. 576.
37. EINSTEIN, A.: *Ibid.,* 1924, véase ref. 28, pág. 49 de la versión italiana.
38. EINSTEIN, A.: Carta a P. Ehrenfest, 2 de diciembre de 1924, citada por M. J. Klein, *ibid.,* 1964, véase ref. 1, pág. 31.
39. EINSTEIN, A.: *Ibid.,* 1925, véase ref. 29, págs. 129-130 de la versión francesa.
40. PATHRIA, R. K.: *Ibid.,* 1986, véase ref. 26. Un ejemplo del tratamiento indicado se encuentra entre las páginas 179 y 187.
41. EINSTEIN, A.: *Ibid.,* 1925, véase ref. 29, págs. 141-143 de la versión francesa.
42. PAIS, A.: *Ibid.,* 1982, véase ref. 18. En las págs. 434-435 de la versión castellana se puede encontrar un pequeño resumen histórico y material bibliográfico relativo a la *condensación de Bose-Einstein.*
43. EINSTEIN, A.: *Ibid.,* 1925, véase ref. 29, pág. 132 de la versión francesa.
44. BOSE, S. N.: *Ibid.,* 1924, véase ref. 12. La expresión (III.40) de nuestro texto, aunque

ligeramente modificada, y la referencia a Debye que hemos mencionado, se encuentran en la pág. 243 de la versión inglesa.
45. BERGIA, S.: «En Busca de Precisiones: Algunos Elementos Adicionales para la Reconstrucción de la Historia de la Física Cuántica», en *Història de la Fisica,* Actes de les Trobades Científiques de la Mediterrània, Maò, 1987, L. Navarro (ed.), CIRIT, Barcelona, 1988, pág. 21.
46. EINSTEIN, A.: *Ibid.,* 1925, véase ref. 29, pág. 133 de la versión francesa.
47. HUANG, K.: *Ibid.,* 1987, véase ref. 20, pág. 203.
48. EINSTEIN, A.: *Ibid.,* 1925, véase ref. 29, pág. 134 de la versión francesa.
49. *Ibid.,* pág. 135.
50. *Ibid.,* pág. 136.
51. DE BROGLIE, L.: *Recherche sur la Théorie des Quanta,* Masson, París, 1924. Se trata de la tesis doctoral de L. de Broglie, defendida el 25 de noviembre de 1924, en la Facultad de Ciencias de la Universidad de París. (El tribunal examinador lo constituyeron Perrin, como presidente, y Cartan, Mauguin y Langevin como vocales.)
52. EINSTEIN, A.: *Ibid.,* 1925, véase ref. 29, págs. 138-139 de la versión francesa.
53. JAMMER, M.: *The Conceptual Development of Quantum Mechanics,* McGraw-Hill, Nueva York, 1966, págs. 248-249.
54. EINSTEIN, A.: *Ibid.,* 1925, véase ref. 29, pág. 139 de la versión francesa.
55. *Ibid.,* págs. 139-140.
56. *Ibid.,* pág. 143.
57. PAULI, W.: «Über den Zusammenhang des Abschlusses der Elektronengruppen im Atom mit der Komplexstruktur der Spektren», *Zeitschrift für Physik 31,* 1925, págs. 765-783. Hay versión inglesa de D. ter Haar en *The Old Quantum Theory,* Pergamon Press, Oxford, 1967, págs. 184-203.
58. FERMI, E.: «Zur Quantelung des idealen einatomigen Gases», *Zeitschrift für Physik 36,* 1926, págs. 902-912. Una reimpresión se encuentra en *Enrico Fermi, Collected Papers,* University of Chicago Press, Chicago, 1962, págs. 186-195.
59. ELSASSER, W.: «Bemerkungen zur Quantenmechanik freier Elektronen», *Naturwissenschaften 13,* 1925, pág. 711.
60. MEHRA, J.: «Erwin Schrödinger and the Rise of Wave Mechanics. I. Schrödinger's Scientific Work before the Creation of Wave Mechanics», *Foundations of Physics 17,* 1987, págs. 1.051-1.112.
MEHRA, J. Y RECHENBERG, H.: *The Historical Development of Quantum Theory,* vol. 5, Springer Verlag, Nueva York, 1987.
61. SCHRÖDINGER, E.: «Zur Einsteinschen Gastheorie», *Physikalische Zeitschrift 27,* 1926, págs. 95-101. Hay versión francesa (no se cita el nombre del traductor) en *Annales de la Fondation Louis de Broglie 7,* 1982, págs. 147-164. Hay versión italiana de P. Bernardini, *ibid.,* 1986, véase ref. 28, págs. 77-92.
62. SCHRÖDINGER, E.: «Quantisierung als Eigenwertproblem», *Annalen der Physik 79,* 1926, págs. 361-376; *79,* 1926, págs. 489-527; *80,* 1926, págs. 437-490. Hay versión inglesa de J. F. Shearer y W. M. Deans en *Collected Papers on Wave Mechanics,* Blackie & Son, Londres, 1928, págs. 1-12, 13-40 y 62-101, respectivamente.
63. SCHRÖDINGER, E.: *Ibid.,* 1926, véase ref. 61, págs. 147-148 de la versión francesa.
64. *Ibid.,* pág. 150.
65. *Ibid.,* pág. 162.
66. SCHRÖDINGER, E.: *Ibid.,* 1926, véase ref. 62, primer trabajo. Citado por M. J. Klein, *ibid.,* 1964, véase ref. 1, págs. 45-46.
67. SCHRÖDINGER, E.: Carta a A. Einstein, 23 de abril de 1926. Citada por M. Jammer, *ibid.,* 1966, véase ref. 53, pág. 257.
68. PAIS, A.: *Ibid.,* 1982, véase ref. 18, caps. 25 y 26.
69. EINSTEIN, A.: Carta a H. A. Lorentz, 17 de junio de 1927. Citada por A. Pais, *ibid.,* 1982, véase ref. 18, pág. 434 de la versión castellana.

Colección Metatemas

1. ¿Qué es la vida?, Erwin Schrödinger
(También referenciado como C. Infimos 107)

2. Mente y materia, Erwin Schrödinger
(También referenciados como C. Infimos 110)

3. ¿Tan sólo una ilusión? Una exploración del caos al orden, Ilya Prigogine
(También referenciado como C. Infimos 111)

4. Pensar la matemática, AA. VV.
(También referenciado como C. Infimos 114)

5. Hombre *versus* naturaleza, Sir Charles Scherrington
(También referenciado como C. Infimos 117)

6. El azar y la necesidad, Jacques Monod
(También referenciado como C. Infimos 100)

7. Controversia sobre mentes y máquinas, Edición de Alan Ross Anderson
(También referenciado como C. Infimos 124)

8. Cibernética, Norbert Wiener
(También referenciado como Super Infimos 2)

9. Ideas sobre la complejidad del mundo, Jorge Wagensberg
(También referenciado como Super Infimos 3)

10. Ciencia y humanismo, Erwin Schrödinger
(También referenciado como C. Infimos 126)

11. Parábolas y catástrofes, René Thom
(También referenciado como Super Infimos 5)

12. Proceso al azar, P. T. Landsberg, G. Ludwig, R. Thom, E. Schatzman, R. Margalef e I. Prigogine
(También referenciado como Super Infimos 7)

12. Procés a l'atzar, P. T. Landsberg, G. Ludwig, R. Thom, E. Schatzman, R. Margalef e I. Prigogine
(También referenciado como Super Infimos 7)

13. Los objetos fractales, Benoît Mandelbrot
(También referenciado como Super Infimos 8)

14. Gödel, Escher, Bach, Douglas R. Hofstadter
(También referenciado como Super Infimos 9)

15. Física de las noches estrelladas, Eduardo Battaner
(También referenciado como Super Infimos 11)

16. Mi concepción del mundo, Erwin Schrödinger
(También referenciado como Super Infimos 12)

17. La estatua interior, François Jacob
(También referenciado como Colección Andanzas 90)

18. Los porqués de un escriba filósofo, Martin Gardner
(También referenciado como Super Infimos 13)

19. Que loco propósito, Francis Crick
(También referenciado como Super Infimos 14)

20. El hombre anumérico, John Allen Paulos